Comprendre et guider
le jeune enfant

À la maison, à la garderie

D0111203

La Collection de l'Hôpital Sainte-Justine
pour les parents

Comprendre et guider le jeune enfant

À la maison, à la garderie

Sylvie Bourcier

Éditions de l'Hôpital Sainte-Justine

Centre hospitalier universitaire mère-enfant

Catalogage avant publication de la Bibliothèque nationale du Canada

Bourcier, Sylvie

Comprendre et guider le jeune enfant : à la maison, à la garderie

(La collection de l'Hôpital Sainte-Justine pour les parents)
Comprend des réf. bibliogr.

ISBN 2-922770-85-0

1. Enfants - Psychologie. 2. Enfants - Développement. 3. Socialisation.
4. Interaction sociale chez l'enfant. I. Hôpital Sainte-Justine. II. Titre.
III. Collection : Collection de l'Hôpital Sainte-Justine pour les parents.

BF721.B68 2004   155.4   C2004-940089-4

llustration de la couverture : Marie-Claude Favreau

Infographie : Nicole Tétreault

Diffusion-Distribution au Québec : Prologue inc.
                              en France : CEDIF (diffusion) Casteilla (distribution)
                              en Belgique et au Luxembourg : S.A. Vander
                              en Suisse : Servidis S.

Éditions de l'Hôpital Sainte-Justine (CHU mère-enfant)
3175, chemin de la Côte-Sainte-Catherine
Montréal (Québec) H3T 1C5
Téléphone : (514) 345-4671
Télécopieur : (514) 345-4631
www.hsj.qc.ca/editions

Dépôt légal : Bibliothèque nationale du Québec, 2004
               Bibliothèque nationale du Canada, 2004

À ma fille Émilie avec qui j'ai appris peu à peu
à devenir un parent présent et aimant,
bien que parfois maladroit.

Je remercie Germain Duclos, mon cher compagnon de vie qui m'encourage et m'enrichit de sa vaste expérience. Il a soumis à mon insu mes chroniques à Claire Chabot, éditrice du magazine Enfants Québec, et la grande aventure de l'écriture a commencé.

Merci à l'équipe du magazine qui fait preuve de professionnalisme, d'humour et de souplesse. Merci à Luc Bégin des Éditions de l'Hôpital Sainte-Justine pour ses commentaires pertinents et la qualité de sa présence.

TABLE DES MATIÈRES

▼

Avant-propos

▼

Ma pratique professionnelle m'offre le merveilleux cadeau de la rencontre avec les jeunes enfants et le privilège de la relation d'aide avec ceux et celles qui les accompagnent au jour le jour. Les séjours en milieu de garde me procurent des occasions d'observer l'enfant qui interagit avec ses pairs, avec les adultes éducateurs et avec ses parents. Les soucis des petits et les difficultés que rencontrent les adultes dans leur tâche d'éducation sont donc abordés dans cet ouvrage à partir de situations concrètes.

Destiné aux parents, aux éducatrices et aux intervenants qui œuvrent auprès des enfants de 0 à 5 ans, le présent livre est constitué de chroniques qui font une bonne place aux anecdotes tirées du quotidien, permettant ainsi une description imagée et vivante du développement de l'enfant. Les questions soulevées sont abordées tant du point de vue de l'enfant que de celui de l'adulte, et elles le sont dans une perspective de résolution harmonieuse des problèmes. En traduisant ce que ressent le petit, en dévoilant sa perception du monde, nous nous rapprochons de lui et nous éveillons notre sensibilité à son univers émotif.

Dans un premier temps, nous traiterons du passage de la dépendance affective à l'autonomie, ce qui entraîne des séparations parfois douloureuses mais combien nécessaires à la construction de l'identité de l'enfant. Cela fait, nous dresserons un portrait des différents visages du petit qui grandit. Nous rencontrerons la petite terreur de 2 ans qui s'oppose pour s'affirmer, l'avocat de 4 ans qui ressent le besoin de tout négocier avec l'adulte et nous ferons la connaissance de l'enfant qui trafique la vérité et de celui qui se montre impatient ou encore très excité.

Par la suite, nous présenterons les enjeux du développement social du petit en décrivant les défis importants qu'il a à relever dans ses premiers contacts avec ses pairs en milieu de garde. Enfin, nous aborderons des thèmes reliés aux préoccupations de notre temps, stress de performance, consommation excessive, accès à la télévision, rythme de vie effréné.

Les gestes, les mots et les cris des jeunes enfants expriment l'émerveillement, le chagrin, la peur, la joie et la colère. En décodant le sens de ces manifestations, en traduisant le monde des petits aux adultes qui les aiment et qui veulent les comprendre pour bien les accompagner, en les soutenant par la parole, nous donnons un sens à ce qu'ils vivent et nous les aidons à se construire.

NOTE AU LECTEUR

Tout au long de cet ouvrage, nous utilisons les mots «milieu de garde», «garderie» et «centre de la petite enfance» pour signifier des lieux d'accueil où les enfants de 3 mois à 5 ans évoluent dans un contexte éducatif. Quant au terme «pouponnière», il désigne le lieu d'accueil des bébés de 3 mois à 18 mois. Au Québec, les jeunes enfants fréquentent des milieux de garde jusqu'à l'âge de 5 ans, puis ils sont intégrés au système scolaire.

COUPER LE CORDON AVEC LE PETIT

▼

Maman poule

▼

Maman poule aime tous ses petits, elle voudrait leur éviter les périls de la vie du poulailler et de la ferme. Parmi les dangers qui guettent les poussins, il y a le renard, le chien qui court, les enfants maladroits, la chaleur de l'été, les frimas de l'hiver, la volaille batailleuse, les dévoreurs de graines, les pierres glissantes et coupantes de l'entrée, et ces marches si hautes pour se rendre à la nourriture. La mère poule accourt au moindre piaillement. Oh! Petit blanc se fait pousser! Oh! Petit jaune se décourage! Vite! Les petits doivent avoir faim! Et avant même qu'ils aient crié « pit-pit », les voilà gavés. Est-ce cela, une bonne mère? Faut-il oublier sa vie et ne vivre que celle de ses petits?

Que ce soit chez les animaux ou chez les humains, la mère sert de miroir à son bébé, elle est sa chambre de résonance. Elle lui renvoie la confirmation de ses perceptions. La relation très étroite entre le poupon et sa mère passe d'abord par un corps-à-corps, et c'est ce qui permet à l'enfant de se constituer peu à peu un sentiment de sécurité. Le petit est réconforté, nourri, bercé, langé. Sa maman, qui lui tend les bras, parle, émet des sons et des odeurs. La mère protectrice répond aux signaux de détresse de son bébé. Celle qui surprotège devance et, surtout, agit en fonction de ses propres inquiétudes. Comment une mère surprotectrice vivra-t-elle les premières échappées de son fouineur à quatre pattes?

La conquête de l'espace

Le fouineur se dandine vers la cuisine et découvre le merveilleux monde des chaudrons et des plats en plastique. Il est fier de lui, regarde sa mère et attend les mots qui parleront de ses découvertes ainsi que les félicitations pour ses avancées. Mais combien d'enfants sont alors soulevés de terre par derrière sans être prévenus! Depuis le lit à barreaux jusqu'à la chaise haute, depuis le parc jusqu'aux bras maternels, les enfants ressentent un profond sentiment d'impuissance et d'incompétence. Sous prétexte de les protéger des dangers, de leur éviter la fatigue, des mères briment la motricité de ces enfants qui n'ont pas la possibilité d'explorer l'espace et de ressentir leurs corps en mouvement. Ils deviennent faibles de leur inexpérience. En voulant garantir un environnement sûr et aseptique, le parent surprotecteur bloque le développement des habiletés motrices et, involontairement, fait courir à l'enfant le danger de subir des accidents par maladresse.

La conquête de l'autonomie

Dans ses périples, le fouineur manifeste son besoin de se distancer physiquement de sa mère. Le grand aventurier doit toujours être protégé de sa témérité. Entre 18 et 24 mois, l'enfant repousse d'autres frontières dans sa quête d'autonomie. Il continue d'explorer et de se mesurer à lui-même par ses capacités motrices, et il se montre de plus en plus indépendant. Il souhaite élargir son cercle d'amis: «Une maman, c'est bien et c'est très utile, mais il y a autre chose dans la vie, il y a moi, distinct de toi, et il y a les autres autour de moi.» La distance physique et affective est la base de l'autonomie future.

Le «je», l'identité propre, devient possible lorsque l'enfant peut laisser sa mère et aller vers d'autres. Cet élan implique qu'il est confiant et ce, justement parce que la relation d'attachement a instauré en lui ce sentiment de sécurité.

Murielle a 4 ans. Depuis peu, elle fréquente la garderie, mais l'adaptation se fait difficilement. D'abord, les parents ont de la difficulté à se séparer de leur enfant et Murielle ressent fortement leurs inquiétudes face à ses premiers pas vers le monde extérieur. Elle se dit que cet endroit doit être bien terrible si papa et maman pleurent, tentent de la rassurer et de l'avertir des dangers que représentent tous ces enfants autour d'elle. Son père la porte dans ses bras dans l'allée menant à la garderie, de crainte qu'elle ne glisse. Il lui enlève son habit de neige, parce que le fermoir est difficile à descendre. Il la dit trop petite pour l'activité de patinage organisée par la garderie. Il répond à la place de l'enfant lorsque l'éducatrice l'interpelle. Le père «bébéïse» sa fille. Murielle se montre très dépendante de son éducatrice. Elle crée peu de liens avec les enfants de son groupe. Elle pleure lorsqu'elle éprouve une difficulté, ne persévère pas et attend l'aide de l'adulte. Elle subit le contrôle de ses compagnons, préfère jouer seule puisqu'elle n'ose s'affirmer lorsqu'elle vit une frustration ou désire un jouet ou encore une place. Son développement moteur est ralenti par la crainte de se blesser et par les maladresses liées à son manque de pratique des jeux moteurs. On observe souvent une telle anxiété chez les enfants surprotégés.

Dangers de la surprotection

Surprotéger, c'est faire les choses à la place de l'enfant alors qu'il peut agir de façon autonome. C'est aussi lui éviter de faire face à des situations nouvelles qui lui permettraient de connaître ses capacités et de repousser ses limites. Surprotéger, c'est bloquer les élans autonomes, les découvertes et les initiatives. C'est donc nuire à l'évolution de l'enfant.

Voici les conséquences possibles de la surprotection :

- Enfant sans combativité. Il ne persévère pas, puisque le parent lui a évité les situations qui exigent des efforts. Il se décourage et attend d'être aidé.

- Enfant peu affirmatif et parfois sans désir. Le parent le précède et accède à ses besoins et à ses désirs avant même que l'enfant ait à nommer ce qu'il veut.

- Enfant vivant un sentiment d'incompétence. Lorsque le parent agit à la place de l'enfant, le parent lui envoie le message qu'il n'est pas capable de réussir, et cela réduit l'estime de soi chez l'enfant.

- Enfant dépendant de l'adulte. Celui-ci est toujours là pour prévenir la fatigue et les frustrations. L'enfant n'apprend pas la débrouillardise et le goût de l'exploration.

- Enfant anxieux. Le parent lui présente un monde effrayant, plein de dangers.

- Enfant à risque de retard de développement. D'une part, la motricité est brimée, de peur des accidents. La curiosité intellectuelle, qui passe par l'exploration, est peu encouragée. D'autre part, lorsqu'on fait les choses à la place de l'enfant, il manque à celui-ci les conseils qui accompagnent les gestes dans l'action. Le parent doit plutôt décrire les mouvements, guider les essais, apprendre à l'enfant les techniques pour agir avec prudence. Ses paroles sont alors mémorisées par l'explorateur et l'accompagneront dans les mouvements qu'il ne maîtrise pas encore.

Couper le cordon ombilical une seconde fois

Le père coupe le cordon du bébé à la naissance et le libère ainsi du corps de sa mère. Ce rôle de tierce personne, qui protège de la fusion mère-enfant, permet la construction de l'identité de l'enfant.

En permettant à l'enfant d'explorer, de bouger, de grimper, de fouiller, nous coupons une deuxième fois le cordon, celui qui le retient à la protection du giron maternel. Cette distance, permise dans un environnement sûr, l'encourage à découvrir le monde extérieur. Cette liberté surveillée est nécessaire au développement de son autonomie.

- Félicitez votre petit fouineur pour ses initiatives.

- Consolez votre aventurier téméraire s'il pleure à cause d'un essai infructueux.

- Délimitez la sécurité physique de votre maison en précisant les espaces défendus et les aires d'exploration. « Nous allons trouver un endroit où tu pourras grimper. » « Nous allons choisir des objets que tu peux lancer sans risquer de tout détruire dans la maison. » « Tu veux regarder ce qu'il y a de caché derrière les portes et dans les boîtes ? Ici, tu peux découvrir, ouvrir et fermer les contenants. Là, dans l'établi de papa, tu ne peux pas jouer, car il y a des objets pointus et coupants. Ce n'est pas pour les enfants. »

- Nommez les gestes de votre enfant, décrivez les stratégies qu'il utilise, les découvertes qu'il fait. Enseignez-lui des techniques. « En haut, en bas, tu plies les jambes, tu les allonges et ça pousse la balançoire pour aller jusqu'au ciel. »

- Soyez fiers de ses conquêtes et de ses prouesses.

Grandir, c'est apprendre à prendre soin de soi, puis des autres. Lorsque votre enfant manifestera des élans d'autonomie, dites-vous qu'il porte en lui son parent sécurisant. Il ne se sent pas abandonné par la distance que vous l'encouragez à prendre, il se sait accompagné dans sa prise de liberté. Khalil Gibran* compare le parent et son enfant à un arc qui se bande pour envoyer au loin sa flèche vivante. La flèche fend l'air, prend sa trajectoire et l'arc demeure prêt à se tendre à nouveau.

---

* GIBRAN, Khalil. *Le prophète*. Boucherville: Éditions de Mortagne, 1992. 108 p.

LE SUPPLICE DU DODO

▼

Pas facile pour les tout-petits de tomber dans les bras de Morphée. Ainsi, certains étirent indéfiniment la période du coucher, ce qui épuise les réserves de patience de leurs parents.

Martine a deux enfants, Sophie 15 mois, et Éric, 4 ans. Tous les soirs, vers huit heures, pendant que son conjoint s'occupe de la plus jeune, elle subit le supplice de la « période élastique » ; l'aîné est en effet passé maître dans l'art de retarder l'heure du dodo. Tous les moyens sont bons : envie de faire pipi, besoin de boire, technique du « je me lève et me relève » et, en dernier recours, crise carabinée. Même si Éric est fatigué, il voudrait que sa maman reste auprès de lui encore plus longtemps. Quant à Martine, elle aurait besoin de se reposer et de se retrouver seule, d'avoir du temps avant de se coucher pour décrocher de son rôle de mère et penser à elle. Cela lui permettrait de recharger ses batteries, de se détendre après une journée remplie d'occupations et de préoccupations. Mais tous les soirs, Martine sait que les négociations avec Éric seront longues et ardues. Elle en sortira épuisée ou enragée, mais toujours lessivée.

Or, il existe des moyens pour adoucir ce moment de la journée tout en créant un lien chaleureux et positif avec son enfant. Voici ce que Martine pourrait faire.

Durant la journée, Martine expliquera à Éric les effets de la fatigue sur l'humeur. Devant les pleurs de son fils ou ses manifestations d'intolérance, elle lui dira : « Éric, tu pleures beaucoup. Es-tu fatigué ? Je pense que ton dodo trop tard hier soir a fatigué ton corps, alors tu as eu de la difficulté à bien t'amuser aujourd'hui. » Au souper, elle pourra informer son fils du nouveau rituel du dodo. « Tu es fatigué durant la journée, tu pleures et tu rechignes. À partir de ce soir, nous allons t'aider à mieux te reposer. Tous les soirs, ça va être comme ça. Tu prends ton bain, tu te brosses les dents, tu bois un peu d'eau et tu fais ton pipi. Ensuite, tu vas dans ta chambre et je te lis une belle histoire ou je te chante une chanson, assise à côté de toi. Ce sera notre petit moment doux, juste à nous deux. Après l'histoire, je te borde, je te donne une caresse et un baiser. Je te souhaite bonne nuit. Toi, tu fermes les yeux, tu restes couché dans ton lit avec ton nounours et tu dors. »

Il est important que Martine demeure ferme et constante. Ainsi, Éric saura ce qu'on attend de lui et qu'il n'y a pas de place pour la négociation ; mais il saura aussi qu'il passera un moment agréable avec sa mère avant de s'endormir. Les premiers soirs, Éric se lèvera sans doute à plusieurs reprises, mais Martine ne cédera pas. Elle le prendra par la main, le ramènera dans sa chambre et lui dira calmement : « C'est le temps de dormir pour toi. Dodo. » Bien sûr, Éric essaiera de parler à sa mère et de tout faire pour qu'elle change d'idée. Mais elle lui dira : « Non, c'est le temps du dodo. Je sais que tu aimerais que je reste avec toi. Mais c'est assez. Tu as eu ton histoire. Je ne changerai pas d'idée. Tu as besoin de dormir. C'est l'heure du dodo. » Puis, elle quittera la chambre.

À bout de ressources pour prolonger la présence de sa mère auprès de lui, Éric tentera peut-être de se fâcher et de faire une crise. S'il hurle et sort de son lit, sa mère lui dira : « Tu as le droit d'être fâché, mais je ne change pas d'idée. Tu as besoin de dormir. C'est l'heure du dodo. » Ensuite, elle retournera à ses occupations. La durée du supplice diminuera au bout de quelques jours si Martine persévère. Durant la journée, elle pourra dire à son fils : « Tu as bien dormi, tu es souriant, tu t'amuses bien. Je suis contente. Bravo ! »

Les soirs où Martine mettra Éric au lit plus tard ou lorsqu'il y aura un changement dans le rituel du coucher, par exemple durant le temps des Fêtes, elle l'avertira : « Ce soir, c'est spécial. Tu as le droit de te coucher plus tard. Mais demain, tout redevient comme avant. D'accord ? »

Bonne nuit, Éric, et bonne soirée, Martine !

LES GROS CHAGRINS DU MATIN

▼

Le retour au travail de la nouvelle maman s'accompagne bien souvent de tristesse et de culpabilité.

À la pouponnière, Sophie enveloppe son petit Alexandre de ses bras maternels. Elle tente de consoler le bébé qui s'agrippe à elle en pleurant. Les mots rassurants ont de la difficulté à sortir de sa bouche. Les souvenirs du premier sourire, de l'odeur si douce du poupon langé, de la chaleur du petit corps endormi, repu, lové dans le creux de son épaule rejaillissent et lui nouent la gorge. Toute la journée, elle ressentira cette tristesse au travail. De nombreuses inquiétudes la poursuivent : les éducatrices auront-elles le temps de bercer Alexandre ? Sauront-elles le langer avec des gestes doux en lui parlant amoureusement comme elle le fait ? Et si son chérubin ne s'adaptait pas ?

Pour de nombreux parents, le retour au travail suppose l'intégration de leur petit à la garderie. L'adaptation à ce nouveau milieu dépend de plusieurs facteurs.

Attachés pour mieux se séparer

Les recherches démontrent qu'il existe un lien entre la qualité de l'attachement à sa mère et la capacité du très jeune enfant à s'adapter aux relations avec d'autres adultes et d'autres enfants. Si sa mère est chaleureuse, fiable, si elle sait répondre à ses besoins physiques et affectifs de façon stable et prévisible, l'enfant acquiert un sentiment de sécurité. Il devient confiant et convaincu que les adultes peuvent être bons pour lui.

La qualité des premières relations facilite donc l'intégration au milieu de garde. L'enfant attaché à ses parents réagit à la séparation du matin, mais cet attachement lui permet également de se détacher et d'élargir son univers social. L'éducatrice devient une nouvelle figure d'attachement. Le séjour en garderie n'affaiblira pas la relation d'attachement primaire : le lien privilégié et unique entre la mère ou le père et l'enfant est indissoluble. Certains parents vivent la perte de l'exclusivité des liens avec leur enfant comme une perte d'amour. Or, son sourire et ses bras tendus vers son éducatrice sont des manifestations de son adaptation et ne doivent pas être interprétés comme un signe de l'appauvrissement des liens parent-enfant.

La relation enfant-éducatrice

L'adaptation harmonieuse de l'enfant dépend de la qualité de la relation éducative. La stabilité du personnel de garde est importante pour l'établissement d'un lien affectif. S'il peut prévoir comment on répondra à ses besoins, l'enfant se sent sécurisé : qui prend soin de moi ? combien de temps devrais-je attendre ? L'éducatrice devient une personne significative si elle manifeste au jeune enfant de la chaleur et de la sensibilité. Cette sensibilité s'exprime par une approche lente, douce, accompagnée de paroles qui nomment ses intentions, qui décodent les émotions de l'enfant.

L'indispensable communication

La communication entre les parents et l'éducatrice est importante pour faciliter la transition entre le milieu familial et le milieu de garde. Pour permettre à l'éducatrice de respecter les rythmes biologiques et les habitudes de l'enfant, les parents lui racontent qui il est, quels sont ses goûts, ses centres d'intérêts, ses peurs. Ils mentionnent également les moyens qu'ils ont découverts jour après jour pour l'endormir, le consoler, le rassurer ou l'amuser.

Bercement pour Alexandre, câlins pour Sophie, chanson pour Julie, sucette pour Antoine, une éducatrice sensible reconnaît les besoins personnels des enfants. En multipliant les contacts avec elle, les parents apprennent à la connaître et sont rassurés quant à ses interventions. Ainsi s'établit entre eux une relation de confiance. L'enfant ressent ce climat et s'en imprègne.

Les changements de la vie quotidienne

Si l'intégration se fait progressivement, l'adaptation est plus facile. Comme la rupture est moins brutale, l'enfant a moins l'impression d'être abandonné et impuissant.

Il existe de réelles différences entre le fonctionnement du milieu familial et celui du milieu de garde. Pour répondre aux besoins d'un groupe d'enfants, le temps en garderie est structuré en périodes fixes. Si on veut éviter du stress à l'enfant, il est donc important de prévoir un entraînement au nouvel horaire avant même l'intégration proprement dite : habillage, déjeuner, transport et surtout période d'accueil à la garderie.

Les rituels

Le rituel du départ des parents est un moment très important pour prévenir les crises de larmes. Les parents doivent respecter le même rituel tous les matins : gestes de tendresse, baisers et mots d'amour rassurants («Maman et papa s'en vont au travail. Bonne journée, mon trésor. Nous reviendrons te chercher après ton dodo. »). Ce rituel permet à l'enfant de prévoir les événements et de savoir que ses parents reviendront le chercher. Les parents doivent présenter le déroulement de la journée : collation, jeu, dîner, sieste, jeu, retour à la maison. Certaines éducatrices illustrent ces périodes à l'aide de pictogrammes, ce qui permet à l'enfant de se situer dans le temps.

Une transition en douceur

La transition entre le milieu familial et le milieu de garde se fera mieux si le temps passé à la garderie se prolonge graduellement. Par exemple, le premier jour, les parents prennent la collation avec l'enfant avant de le ramener à la maison. Le deuxième jour, ils peuvent le laisser pour la collation et la période de jeu, puis le ramener manger à la maison. Le troisième jour, l'enfant restera pour le repas du midi et la sieste. Enfin, il pourra passer toute la journée à la garderie.

L'entrée en garderie signifie l'adaptation non seulement à un nouvel horaire mais aussi à un nouvel environnement. S'il s'agit d'un très jeune enfant, on lui fera visiter la pouponnière. On lui présentera la salle de repos, la table à langer, le coin-repas, le coin-jeu. Quant au petit trottineur, il voudra voir la salle de jeu, les toilettes, la cuisine, la cour extérieure ou toute aire de jeu accessible à son groupe.

Il est très important d'apporter un objet familier de la maison, un toutou ou une couverture imprégnés des odeurs maternelles. Cet objet transitionnel crée un pont sensoriel et affectif entre la maison et la garderie. L'enfant y aura accès en tout temps pour se rassurer.

De nouvelles têtes

Le changement le plus brutal se vit sur le plan des relations interpersonnelles. C'est pourquoi les parents doivent présenter l'éducatrice à l'enfant : « Tu vois, Alexandre, c'est Julie. C'est ton éducatrice. Son travail, c'est de prendre soin de toi, de t'écouter, de t'aider à t'amuser. J'ai confiance en elle. Tu seras bien avec elle. » Le trottineur aimera également rencontrer la personne qui s'occupe des repas.

Chacun à son rythme

Le temps d'adaptation varie d'un enfant à l'autre selon les conditions d'intégration et le tempérament. Certains enfants réagissent fortement aux changements ; d'autres sont plus ouverts aux nouveautés.

Si l'enfant est bien adapté à la garderie, on le voit sourire, rire et explorer. Il s'intéresse aux activités proposées par l'éducatrice. Il est capable de se détendre et de s'endormir au moment de la sieste. La période d'adaptation du bébé peut aller jusqu'à quatre semaines. Certains enfants vivent d'abord une sorte de lune de miel, pendant laquelle la découverte de la nouveauté est enivrante. Ils explorent et semblent peu se soucier de l'absence des parents. Mais après quelques jours, ils réalisent que la visite dans ce nouvel environnement se prolonge. Les réactions d'isolement, de pleurs, de passivité ou de résistance aux soins apparaissent plus tard avant de s'estomper graduellement.

Au-delà de la tristesse

Personnellement, j'ai trouvé difficile de quitter le douillet nid d'amour que j'avais construit avec ma petite Émilie. Et je dois avouer que ses premiers mots d'admiration et de tendresse pour son éducatrice, Johanne, m'ont fait l'effet d'un coup de poignard. Et que dire de ses premiers dessins, de ses bricolages et de tous ses exploits moteurs réalisés en dehors de mon regard maternel ! Avec le recul, je m'aperçois que, en dépit de ces moments de tristesse, j'éprouvais aussi beaucoup de fierté face à une petite qui grandissait, devenant autonome et débrouillarde. Car, avec chaque apprentissage – la découverte des relations avec d'autres adultes et d'autres enfants, les premiers pas, les premiers mots, les premières prouesses et les premières créations –, l'enfant rompt un lien de dépendance avec les adultes. Il devient davantage lui-même, par lui-même.

Le petit qui grandit

Non, non, non

▼

Jean, le papa de Juliette, arrive à la garderie Les petits Poucets après une heure de voiture dans la circulation. Il est exténué, rêve de son fauteuil au salon, du moment où il pourra enfin s'arrêter, bâiller et paresser. Il va dans la salle des Oursons, où sont les 2 ans, pour aller chercher sa fille. Après l'avoir embrassée, il l'invite à terminer son jeu et lui demande de venir s'habiller au vestiaire. D'un air décidé, elle lui répond: «Non, j'ai pas le goût!» Jean lui explique alors qu'Annie, l'éducatrice, est en train de ranger et se prépare à fermer les portes de la garderie. Juliette ne vient toujours pas. Il lui parle alors du bon repas qui l'attend à la maison, elle croise les bras, fronce les sourcils et dit: «Non, je veux pas!» Jean réitère sa demande une dernière fois, tout en sentant la colère l'envahir. Comme Juliette ne réagit pas davantage, Jean finit par l'agripper et l'amener au vestiaire. Là, il a droit à une série de coups de pied, de cris et de pleurs pendant qu'il commence à l'habiller. Cette crise monumentale attire le regard d'Annie et de deux autres parents affairés au vestiaire. La présence d'adultes qui l'observent pendant le conflit intensifie le supplice du papa. Alors, de guerre lasse, il renonce à enfiler les bottes et les mitaines, et se précipite vers la voiture en portant sa fille dans ses bras. Mais les hostilités ne sont pas terminées.

Juliette refuse de s'asseoir dans son siège d'auto et hurle de plus belle : « Non, je veux m'asseoir en avant avec toi ! » Pendant le repas, la litanie des refus continue. Juliette refuse le lait puis l'eau, veut le verre bleu puis le rouge, préfère les carottes puis les pommes de terre... Chaque fois, les parents de Juliette commencent à négocier puis deviennent exaspérés et finissent par céder. Depuis quelques semaines, Juliette leur fait régulièrement vivre ce genre de supplices. Ils sont découragés et se sentent démunis devant leur Juliette si tyrannique. Ils se demandent ce qui a pu arriver à la petite Juliette souriante et agréable dont ils étaient si fiers.

Douce Juliette, où es-tu ?

Comment expliquer la mutation de l'enfant charmante en terrible reine acariâtre qui veut tout décider et qui s'oppose constamment ? Une fois qu'il commence à marcher, le trottineur explore, fouille et fouine. Il a besoin de prendre de la distance par rapport à ses parents et il multiplie les initiatives. Il grimpe dans l'escalier, vide les armoires, démarre le lave-vaisselle, s'amuse avec les interrupteurs et les boutons de la télévision ou du magnétoscope. Papa et maman s'écrient souvent : « Non, tu vas tomber ! », « Non, ne touche pas ça ! » ou « Non, je ne veux pas ! » L'enfant remarque le pouvoir de ce petit mot, un mot magique qui arrête et qui permet d'avoir du contrôle. Il expérimente à son tour le « non » et observe l'effet que cela produit. C'est qu'il fait réagir ses parents, ce petit mot ! Papa se précipite pour arrêter la course vers la rue, maman fronce les sourcils, hausse le ton, exprime son mécontentement ou encore cède aux caprices.

Parfois le tout-petit dit non parce qu'il a décidé de refuser. D'autres fois, il le fait par principe, alors qu'en réalité il ne sait même pas ce qu'il veut. Il s'oppose à ses parents parce qu'il a besoin d'acquérir son autonomie, de devenir grand et de construire sa propre identité.

«*Non, moi capable!*»

C'est l'heure du midi dans la salle des Oursons. Simon, bouche ouverte, langue tirée, se concentre, soupire, en tentant d'attraper sa croquette de poulet pour la couper en petits morceaux avec sa fourchette. La viande glisse, la fourchette rate sa cible. Simon pousse un grognement. Annie offre de l'aider, mais il répond: «Non, moi capable!» Il poursuit ses essais, mais finit par envoyer de la nourriture tout autour de son assiette. Annie s'installe alors à côté de lui et tente à nouveau de l'aider. Il se fâche: «Non, capable!»

Les élans d'autonomie du petit de 2 ans lui permettent de développer des habiletés, d'acquérir de la confiance en lui et de persévérer. Si les parents sont surprotecteurs et agissent à la place de l'enfant pour lui éviter une déconfiture ou pour s'épargner une crise, celui-ci comprend qu'ils ne croient pas en ses capacités. À 2 ans, l'enfant, fort de ses nouvelles habiletés motrices, marche, court, sait tirer, agripper et lancer des objets, veut dépasser ses limites. Comme Simon, il veut satisfaire lui-même ses besoins. Il est important que les adultes l'encouragent à essayer et lui disent quand il a des difficultés ou qu'il réussit: «Simon, c'est difficile pour toi de découper cette croquette: elle est un peu dure…» ou «Bravo, tu as réussi en utilisant ta cuillère!» Ses parents peuvent encourager certains gestes d'autonomie; d'autres doivent être empêchés pour des raisons de sécurité. Ainsi, Simon pourra choisir la couleur du pantalon qu'il va porter, mais il ne pourra pas choisir de porter un short en hiver. Ses parents lui proposent des options raisonnables parmi lesquelles il pourra choisir. Il aura ainsi un sentiment de pouvoir.

Devenir grand en s'opposant

C'est bientôt l'heure de la collation pour les Oursons. Annie demande aux enfants de l'aider à ranger les jouets, puis les invite à venir se laver les mains avant la collation. Pendant que les autres enfants accomplissent leur petite besogne, Audrey reste debout, immobile, sans rien faire et sans lâcher la poupée avec laquelle elle jouait. Contrairement à Juliette qui crie : « Non, pas fini ! », elle ne s'oppose pas ouvertement. Le non d'Audrey est silencieux et retenu, mais il exprime un refus au même titre que les cris de Juliette. Ces deux enfants refusent de faire ce que souhaite Annie. Elles affirment ainsi qu'elles sont différentes de l'adulte, qu'elles ont une volonté distincte. Le non « à toi, adulte » exprime le oui « à moi, enfant ».

En s'opposant aux adultes, les enfants créent une distance entre ces derniers et eux-mêmes. Ils manifestent ainsi leur volonté d'être uniques, différents et d'avoir leur propre volonté. On qualifie parfois la phase d'affirmation des 2 ans de « petite adolescence » parce qu'on y trouve un besoin d'autonomie et une quête d'identité similaires à ceux de l'adolescence. « Je suis capable » signifie « Je suis assez grand », et « Je ne veux pas comme toi » signifie « Je suis différent de toi, je ne pense pas comme toi ».

Du non au oui

Cette période de négation systématique est passagère. Heureusement, parce qu'elle met à rude épreuve le sentiment de compétence des parents ! En effet, les petits Simon, Juliette et Audrey passeront du non au oui lorsqu'ils auront appris à faire des choix et donc à considérer deux choses à la fois. Ainsi, au dessert, Juliette commence par exprimer un non ferme au jello et à la crème glacée. Par la suite, elle choisira seulement la crème glacée et renoncera ainsi au jello. Si ses parents lui offrent de nombreuses occasions de choisir, Juliette apprendra à évaluer les deux possibilités et vivra le plaisir ultime de décider toute seule.

Tout un défi pour les parents

Les parents ressentent parfois le désir d'indépendance de leur enfant comme un défi à leur autorité, et ses refus, comme des attaques personnelles. Ils interprètent aussi ses oppositions comme des affronts ou des bravades. Ce sentiment les entraîne dans une relation de gagnant-perdant avec leur enfant.

Il est important que les parents soutiennent le besoin d'affirmation de leur enfant tout en lui assurant un milieu sécuritaire et sécurisant, et en fixant des limites. S'ils sont trop permissifs, offrant à leur petit un cadre de vie exempt de limites et une liberté totale, ils ne lui permettent pas de s'opposer. Si l'enfant obtient tout ce qu'il veut, il finit par avoir un sentiment d'omnipotence. Les parents verront alors le petit prince devenir un roi tyrannique, exigeant, égocentrique et colérique. En même temps, ce dernier ressentira de l'insécurité au sein d'un environnement qui oscille au gré de ses caprices.

En revanche, si les parents sont très autoritaires, ils court-circuitent l'élan d'indépendance du petit « opposant » de 2 ans. En effet, celui-ci obtempère mais, s'il se tait, c'est par crainte des punitions. La rigidité de ses parents ne lui laisse pas de place pour s'affirmer.

Par conséquent, le grand défi des parents de Juliette, de Simon ou d'Audrey consiste à établir des limites dans un milieu accueillant et chaleureux. Ils doivent donc permettre à leurs petits décideurs de s'affirmer en faisant des choix et les encadrer en nommant fermement les interdits non négociables.

VERS L'HARMONIE

Pour survivre à cette période d'affrontements, les parents peuvent adopter certaines stratégies éducatives qui faciliteront le passage du non au oui. Les voici :

- Ne surévaluez pas le pouvoir du dialogue avec votre petit de 2 ans lorsqu'il est habité par la colère ou de fortes émotions.

- N'acceptez pas les gestes excessifs. Lorsque votre enfant manifeste sa colère par des gestes dangereux pour lui ou pour les autres (lancer des blocs, par exemple), il faut l'arrêter. Dites-lui : « Tu t'arrêtes ou je t'arrête. » S'il poursuit ses gestes, arrêtez-le.

- Ne succombez pas au chantage de la crise. Si, en criant fort et longtemps, votre enfant obtient ce qu'il veut, il répétera ce manège par la suite.

- Évitez les affrontements inutiles. Maintenez les limites essentielles au bien-être et à la sécurité de votre enfant, et offrez-lui la possibilité de choisir lorsque la situation s'y prête.

- Ne laissez pas s'installer un climat de tension qui peut stresser toute la famille. Utilisez l'humour pour dédramatiser certaines situations ou tentez de détourner l'attention de votre enfant de son obsession du moment : chatouillez, câlinez, offrez un objet, etc.

- Évitez l'autoritarisme. Exprimez votre refus d'une façon diplomatique. Dites : « Pas maintenant, après la promenade », au lieu de refuser catégoriquement.

- Lorsque vous sentez votre patience s'effriter, demandez à votre conjoint ou à un proche de vous aider à maintenir une règle. Partagez des trucs avec l'éducatrice de votre enfant. Ou appliquez la loi des trois R : reculez, respirez, puis réagissez !

- Efforcez-vous de préserver la qualité de la relation avec votre enfant ! Si vous valorisez ses bons coups, vous constaterez que son opposition diminuera. En adoptant ces stratégies et en étant constants dans vos réactions, vous verrez que, bientôt, il deviendra peu à peu votre allié.

LE PETIT PROCUREUR

▼

Lison et les discussions

C'est l'heure du repas à la garderie Le Jardin Fleuri. Le groupe des Coquelicots, celui des 4 ans, est attablé et déguste un pâté au saumon. Lison termine son assiette et se dirige vers le coin des poupées. L'éducatrice Élyse l'invite à se rasseoir pour manger le dessert. Lison réplique : «C'est parce que la poupée a faim, elle aussi.» Élyse redit la consigne : «Tu sais, Lison, quand on se lève, c'est qu'on a terminé. Tu n'as pas mangé ton dessert ni bu ton lait. Viens te rasseoir. Tu pourras nourrir ton bébé après le dîner.» Lison ignore Élyse et poursuit son jeu. Élyse rejoint Lison. «Les amis ont presque fini. Après, je ramasse et le repas est terminé.» Lison reprend de plus belle : «Moi, je mange vite et c'est long attendre après les amis. J'ai le temps de nourrir mon bébé avant que tu ramasses.»

Cette négociation se poursuit et le groupe s'impatiente. Lison adore les discussions avec son éducatrice. Pendant le temps passé à parlementer, Élyse ne s'occupe que d'elle. L'enfant se dit que ça vaut la peine d'être parfois réprimandée puisqu'elle obtient alors toute l'attention de l'adulte. Une fois dans la cour, le petit manège reprend. Elle ne suit pas le groupe qui rentre dans la garderie. L'éducatrice tente de l'influencer en lui proposant une activité de peinture. Témoin de la scène, je m'approche de Lison et lui dis fermement : « Tu ne peux pas rester seule dans la cour. Tu entres ou je vais te chercher. » Elle me regarde et me suit. Finies les discussions, la sécurité de l'enfant ne se négocie pas.

En explorant, les petits trottineurs découvrent le monde qui les entoure. Ils bougent, sentent, goûtent, grimpent et lancent des objets. Ils prennent connaissance des divers phénomènes en agissant sur eux, en manipulant leurs découvertes. L'enfant de 3 ou 4 ans cherche à comprendre ce qui l'entoure et il passe ses parents à l'interrogatoire. « Pourquoi tenir ta main pour traverser la rue ? Pourquoi m'attacher en voiture ? Pourquoi ce n'est pas bon de manger des bonbons ? » Ces questions l'amènent progressivement à connaître les dangers qui l'entourent. L'enfant écoute donc attentivement les arguments de ses parents. Il les observe et cherche à les manipuler. Certains enfants de 4 ans utilisent la séduction. « Tu es belle maman, je t'aime. » Et voilà maman attendrie qui en oublie la réprimande. D'autres se servent de la bouffonnerie pour désarmer le parent en colère.

Enfin, certains enfants procèdent par argumentation. Ce sont les petits avocats futés, habiles verbalement. Ils sont à l'affût des iniquités. « C'est pas juste. Pourquoi Justin peut se coucher à 8 h 30 et pas moi ? » « Pourquoi je ne peux pas manger du chocolat et toi tu en manges, papa ? », quand il vous surprend à grignoter en soirée. Ils imitent les adultes qui parlementent. Plus le parent discute et négocie avec son enfant, plus il lui donne matière à imiter. Le parent qui se justifie auprès de son enfant lui donne l'illusion d'être son égal et soumis à ses désirs.

Enfants d'hier, enfants d'aujourd'hui

Les enfants d'aujourd'hui ne sont pas plus indisciplinés que ceux d'autrefois. Par contre, nos enfants sont particulièrement éveillés, ils sont en contact avec de nombreux modèles sociaux différents. La télévision et l'ordinateur font entrer dans nos maisons des images sociétales parfois contraires aux modèles proposés par la famille. Ils s'expriment aisément et sont plus écoutés. On leur reconnaît des droits, alors que dans le passé on parlait avant tout du respect de l'adulte. Les parents bousculés par la vie trépidante manquent d'énergie pour maintenir les limites et cèdent aux pressions exercées par l'enfant exigeant.

L'illusion de la persuasion verbale

Cristelle fait l'épicerie avec sa maman Céline. Elle attend aux caisses et dévore des yeux les présentoirs de friandises. Elle prend de la gomme à mâcher. Sa maman lui dit gentiment qu'elle ne veut pas qu'elle mâche de la gomme. Cristelle insiste et déballe le paquet. Sa mère lui explique qu'il est préférable de ne pas manger de sucrerie avant le souper, que cela lui coupera l'appétit. Elle lui parle de l'importance des légumes et de la viande pour grandir et lui rappelle le danger des caries. Céline pense qu'en expliquant toutes les raisons qui justifient son refus, elle arrivera à persuader sa fillette. Or, Cristelle ne pense qu'à une chose : le merveilleux goût de cerise de la gomme. Les enfants sont régis par le principe du plaisir. C'est grâce aux limites imposées par leurs parents qu'ils apprennent peu à peu à prendre contact avec réalité, parfois frustrante et parfois agréable.

Certains parents parlent trop. Étourdis par tant de discours, les enfants n'écoutent plus. Il est normal que les enfants soient portés à contester et à jauger les limites. C'est à nous, parents, d'exercer notre autorité et de guider le développement de nos enfants. Notre amour et notre expérience de la vie orientent nos actions éducatives. Les limites aident l'enfant submergé par tous ses désirs à prendre conscience que, dans la vie, on ne peut pas tout avoir au moment où on le souhaite. C'est le principe de la réalité à laquelle nous sommes tous soumis.

Persécutés par l'enfant-tyran

Je connais des parents qui se sentent tellement épuisés, voire persécutés par leur enfant qu'ils viennent les reconduire à la garderie avec soulagement. Certains enfants imposent quotidiennement leur désir de satisfaction immédiate à leurs parents. Ces derniers ont l'impression que leurs enfants les empêchent de vivre un bonheur qu'ils ont souhaité partager avec ceux-là même qui les harcèlent.

Le petit procureur doit être contrecarré dans sa plaidoirie. Il est devenu expert dans la présentation de toutes les raisons possibles de ne pas faire ce qu'on lui demande. « C'est assez, je suis ta maman et j'ai décidé. » Il est fort possible que l'avocat en herbe réplique : « C'est pas juste. »

Et il est vrai que notre place de parent se distingue de celle des enfants, que nos désirs sont différents des leurs et il est important que les petits le sachent. « Un jour, tu seras une maman et tu décideras pour ton enfant en pensant à ce qui est bien pour lui. Maintenant, c'est moi ta maman et toi tu es l'enfant, et pour certaines choses c'est moi qui décide, car je sais ce qui est bien pour toi. »

Certains parents considèrent que l'affirmation est signe d'intelligence et ils cèdent aux arguments. Ils deviennent alors soumis aux pressions du petit avocat, qui a compris que son plaidoyer est une manière efficace d'obtenir ce qu'il veut.

Faire face au petit procureur

Faire face au petit procureur requiert de l'énergie et de la détermination; mais cela repose avant tout sur la ferme conviction que les parents ont une place d'autorité auprès du petit qui grandit.

PISTES POUR RETROUVER UNE ATMOSPHÈRE DÉTENDUE

Lorsque l'atmosphère est détendue, les échanges sont alors possibles dans le respect de chacun des membres de la famille.

- Posez-vous la question : ma consigne est-elle claire? Ai-je exprimé ma demande de façon concrète, pour que l'enfant sache ce que j'attends de lui?

- Passez rapidement à l'action et arrêtez de répéter. Lorsque vous discutez, rediscutez, justifiez, parlementez, vous invitez l'enfant-procureur au contre-interrogatoire. Dites clairement que vous ne voulez plus en parler, et ça suffit!

- Évitez de marchander. « Si tu manges, tu auras une surprise. » Vous ouvrez ainsi la porte aux négociations de futurs privilèges.

- Évitez les menaces qui risquent de tomber à l'eau. « Ton cousin ne viendra pas si tu n'es pas gentil » ou « Je m'en vais sans toi si tu continues ». Face à des punitions que vous ne pouvez mettre en application, l'enfant constate que ce que vous dites est sans conséquence et il en vient à vous manquer de respect.

- Faites face à l'enfant au lieu d'agir sur l'environnement. Il est parfois nécessaire d'éviter les situations explosives, mais lorsqu'il s'agit de règles auxquelles vous tenez, profitez de l'occasion pour contrecarrer le petit négociateur. Ce n'est pas en arrêtant d'aller à l'épicerie que Cristelle va apprendre à contrôler ses envies de sucreries. Ce n'est pas en offrant un petit cadeau qu'on apprendra à l'enfant à attendre sa fête pour obtenir sa bicyclette.

- Respectez-vous. Faites connaître à votre enfant votre fatigue, votre seuil de tolérance. Il est préférable de dire clairement ce que l'on ressent et ce que l'on veut dans le calme plutôt que d'attendre, d'argumenter et d'exploser en exprimant vos limites !

Votre petit procureur apprendra ainsi l'écoute, le respect de l'autre et des limites, mais peut-être demeurera-t-il un moulin à paroles qui dit ce qu'il découvre et questionne sur tout. Voilà un signe d'intelligence !

LES VÉRITÉS DE PINOCCHIO

▼

Dans la salle des Lucioles, le groupe des 3 ans, Najat a installé sur la petite table une jolie lampe qui diffuse une lumière tamisée. Les enfants sont allongés sur leur matelas et admirent les ombres qui dansent dans cette douce lueur. Pendant que Najat va mettre une berceuse, François se lève, fait virevolter sa couverture dans les airs… et la lampe tombe par terre ! Voyant cela, Najat demande calmement à François ce qui s'est passé. L'enfant s'écrie : « Non, ce n'est pas moi. La lampe est tombée toute seule ! »

Les tout-petits mentent-ils ?

Le petit de 1 ou 2 ans tente d'attraper les ombres sur les murs, touche son reflet dans le miroir. Il a besoin de références sensorielles, de toucher, de sentir, de goûter, d'écouter pour juger de la réalité des choses. De la même façon, les « mensonges » des petits explorateurs relèvent de l'apprentissage par essai et erreur plutôt que de la tromperie. Alors que le vrai menteur dissimule la vérité dans le but de tromper l'autre.

Ainsi, lorsque Mélissa félicite Thomas : « Bravo Thomas, tu as mangé ta petite fleur de brocoli », celui-ci sourit et répond :

«Parti.» Le brocoli «parti» n'est pas dans son estomac mais camouflé sous son assiette, qui est en équilibre sur le légume. Alors, Mélissa lui dit: «Ah oui, le brocoli est parti se cacher sous l'assiette du petit garçon qui ne veut pas le croquer. Je le vois sous l'assiette. Est-ce qu'il peut se sauver dans ton ventre maintenant?»

De 2 à 7 ans, l'enfant transforme la réalité en un monde magique et fantastique. Grâce aux jeux symboliques, il devient un Pinocchio à l'imagination débridée. La pensée magique de l'enfant change la boîte de papiers-mouchoirs en patins ou en bottes d'astronaute, et le bloc Lego, en brosse à cheveux, pendant que le rouleau de papier d'emballage acquiert les propriétés de l'acier et tue le dragon. L'imagination et la créativité du petit magicien le rendent invincible, tout-puissant. Observons Simon, 3 ans, qui, en plaçant une serviette de plage sur ses épaules, voit ses forces décupler et son agilité se déployer. Il sait voler, se battre, courir et grimper comme Batman. Il se croit le plus fort; rien ne peut l'arrêter. Mais lorsqu'il enlève sa cape, il se trouve dépourvu de son objet magique et perd, du même coup, son invincibilité. Et on pourra le voir, deux minutes plus tard, en pleurs, au bas de la grande glissoire du parc, convaincu qu'il sera incapable d'y grimper. Simon invente, mais il ne ment pas. La réalité et la fiction se confondent. La pensée magique l'aide à apprivoiser la réalité. Cette oscillation entre le monde imaginaire et les réalités concrètes du quotidien l'aide à faire la distinction entre ce qui est possible et ce qui ne l'est pas.

Si le tout-petit sait que son mensonge peut lui éviter des représailles, il n'a pas l'intention de tromper, ni de blesser l'autre. Il ne pense qu'à lui.

En revanche, à 7 ou 8 ans, l'enfant est capable de distinguer le réel du faux. Il est sensible aux incohérences de certains adultes lorsqu'ils disent quelque chose mais agissent d'une manière discordante. Il se dégage progressivement de l'égocentrisme de la petite enfance et prend conscience de l'effet de ses mots sur l'autre. Quand il ne dit pas la vérité, il est plus conscient qu'il trompe. Il mise sur la confiance qu'on a en lui pour nier ce qu'il sait être vrai. C'est l'intention qui fait le mensonge.

Pourquoi trafique-t-il la vérité ?

L'enfant qui sait que tel ou tel comportement entraînera une punition peut nier afin d'éviter de se faire gronder. L'attitude de l'adulte est déterminante. S'il se fâche, blâme l'enfant ou le traite de maladroit, il encourage le petit à réutiliser ce réflexe à l'avenir. Lorsque François a prétendu que la lampe était tombée d'elle-même, il souhaitait peut-être éviter une punition. Mais Najat, son éducatrice, ne porte pas de jugement moral sur les réactions du petit, car elle sait qu'il n'a pas encore intégré les valeurs morales. Il apprend au jour le jour à faire la distinction entre ce qui est bien et ce qui est mal. Najat reste calme et demande à François de réparer, en replaçant la lampe sur la table avant de s'étendre sur le matelas pour la sieste. Ce genre d'attitude guérira l'enfant du mensonge.

Le mensonge peut aussi prendre l'allure d'une fable. L'enfant invente une histoire fantaisiste pour expliquer une situation. Il est possible que François ne se soit pas rendu compte de ce qu'il avait fait et s'imagine que la lampe qui fait danser des ombres a aussi d'autres pouvoirs. Il dira: «Tu sais, Najat, c'est une lampe magique; elle était fatiguée d'éclairer et elle voulait faire la sieste avec moi. C'est pour ça qu'elle est à terre à côté de moi» ou encore «Ce n'est pas moi qui l'ai fait tomber: c'est Tatou, mon ami imaginaire, qui voulait jouer avec». L'humour et l'imaginaire demeurent des atouts de taille pour régler la situation.

« Dis à Tatou que je m'inquiète de voir ma lampe par terre ; j'ai peur qu'elle se brise. Aide-le à la remettre doucement sur la table. Et dis-lui que c'est très fragile, une lampe. »

Parfois, l'enfant utilise l'exagération pour attirer l'attention. C'est le cas de Julien, 4 ans, pendant la causerie de son groupe à propos des activités de fin de semaine. Plusieurs des enfants sont fiers et heureux d'avoir aidé papa et maman à passer la tondeuse à gazon. Julien affirme avoir passé la tondeuse tout seul. Son copain Édouard lui lance : « C'est trop dangereux ; ça ne se peut pas ! » Julien insiste : « Mais oui, je l'ai fait tout seul ! » Julie, l'éducatrice, réplique : « Je pense que tu aimes beaucoup faire des activités avec ton papa. Tu aimerais bien être fort comme ton papa qui pousse la tondeuse à gazon. »

L'enfant peut aussi trafiquer la vérité pour préserver une bonne image de lui. Lors d'une visite dans une garderie, j'ai observé la scène suivante. Les enfants étaient en train de jouer dans le bac à sable. Renaud, 4 ans, a rempli son seau pour construire un château de sable, puis l'a retourné. Mais lorsqu'il a retiré le seau, le petit pâté s'est effondré. Il a recommencé, sans succès. Autour de lui, plusieurs enfants avaient réussi leur construction de sable. Benoît, l'éducateur, s'est approché et a offert de l'aide à Renaud. Celui-ci a crié : « Chez moi, j'ai fait un gros château de sable, et il était bien plus gros que ça. » En réponse, Benoît l'a rassuré en lui disant : « Je sais que tu travailles fort et que tu vas le réussir, ton château de sable. »

Quand à Éléonore, 2 ans et demi, c'est pour s'affirmer, pour s'opposer, qu'elle fait fi de la réalité. « Non, ce n'est pas sa fête », « Non, il fait chaud », « Non, c'est pas du spaghetti, c'est du macaroni », etc. C'est sa façon de réagir aux règles et aux vérités des adultes. Parfois, elle s'insurge contre ce que ses parents lui apprennent : « Non, ce n'est pas une taie d'oreiller. C'est une tête d'oreiller ! »

José aussi aime les mots pour rire. Un jour que son papa lui demandait : « As-tu mis tes souliers ? », il a répondu en remuant ses orteils, le sourire aux lèvres : « Oui, oui ! Mais ce sont des chaussures invisibles ! » « Alors, mets tes souliers sérieux, ceux qui cachent tes orteils », a répliqué son père avec humour.

Installer la vérité

L'enfant apprend par imitation. En disant la vérité à son enfant, on lui offre un modèle de ce que sont les paroles justes. Lorsqu'on exprime ce qu'on ressent, on lui apprend à exprimer ses vraies émotions.

Installer la vérité dans les relations avec son enfant, c'est aussi reconnaître ce qu'il ressent. « Tu as peur, tu pleures, car cela t'a fait mal. »

La vérité se construit aussi dans le respect des rôles de chacun des membres de la famille. Faire croire à l'enfant que l'adulte est tout-puissant et parfait est un leurre, au même titre que de laisser croire au petit roi qu'il est tout-puissant.

Réagir aux fabulations

Jusqu'à ce qu'il ait atteint l'âge de 7 ans, il faut accompagner l'enfant dans l'apprentissage du sens des mots afin qu'il sache peu à peu juger de la justesse des paroles dites et entendues. Il est inutile de sanctionner ses fantaisies. En revanche, il faut être attentif pour apprendre à décoder le sens des mots prononcés par ce petit magicien : mots pour rire, mots pour impressionner, mots pour rêver, mots pour sauver la face, mots pour éviter la punition ou mots pour s'affirmer.

La fantaisie pour grandir

Bientôt, le petit s'imaginera grand et la période de la pensée magique aura déjà tiré à sa fin. Le rideau se fermera sur le théâtre des fabulations de la petite enfance pour faire place à la pensée concrète de l'enfant d'âge scolaire. Ce sera l'aube des vrais mensonges, prononcés en sachant exactement l'effet qu'ils auront sur l'autre.

Le petit déguise parfois la vérité par plaisir ou pour mieux supporter la frustration. Semons en lui le réflexe des paroles justes et authentiques. Aidons-le à exprimer ce qu'il ressent vraiment tout en permettant à son imagination de naviguer librement sur la si courte rivière de la petite enfance.

QUELQUES STRATÉGIES À UTILISER FACE AUX VÉRITÉS DE VOTRE PINOCCHIO

- **Mots pour rire**. Utilisez l'humour. L'enfant s'essaie à l'humour en toute confiance. Il se montre taquin et relationnel et a besoin qu'on reconnaisse son jeu.

- **Mots pour impressionner**. Écoutez, soyez attentif. L'enfant cherche à attirer votre attention. Il a besoin de se sentir reconnu et apprécié, et il a l'impression qu'il doit exagérer la réalité pour susciter l'intérêt. Soulignez les petites réussites du quotidien, dites-lui pourquoi vous êtes fiers de lui.

- **Mots pour rêver**. Reformulez ce que vit l'enfant en utilisant le conditionnel. « Tu aimerais être Batman. Tu pourrais voler dans le ciel et tu serais le plus brave et le plus fort. »

- **Mots pour sauver la face**. Montrez à l'enfant que vous avez confiance en lui. Ayant éprouvé des difficultés dans une tâche, celui-ci invente une situation où il a su se distinguer pour camoufler son sentiment d'échec. Il a besoin d'être encouragé, soutenu dans ses efforts et reconnu dans ses succès.

- **Mots pour éviter la punition**. Faites réparer, évitez de punir. La réparation responsabilise l'enfant sur les conséquences de son geste ; pour sa part, la punition peut susciter la méfiance et entraîner le recours répété au mensonge.

- **Mots pour s'affirmer**. Utilisez la technique des 3 R : reculez, respirez et réagissez. Lorsque l'opposition se résume à une joute de mots sans conséquence, l'humour est la meilleure arme pour désamorcer le conflit.

Ralentis ton petit moteur

▼

La plupart des tout-petits ont de la difficulté à faire la distinction entre l'excitation et le calme. Parfois, courir, c'est être excité, d'autres fois, c'est s'amuser. Ils ont besoin d'aide pour saisir les messages que leur corps leur envoie… et ralentir leur petit moteur !

Guylaine invite les enfants de son groupe de 3 ans à ranger leurs jouets avant la promenade au parc. Tout excité à l'idée de la sortie, Justin commence à s'agiter, à lancer les petites autos. Guylaine lui demande de s'arrêter, mais Justin se met à courir en bousculant les enfants sur son passage. Guylaine lui dit : « C'est assez, tu t'asseois, tu t'arrêtes. Quand tu seras plus calme, tu pourras finir de ranger avec nous. » Justin s'asseoit deux minutes, gigote sur sa chaise, la déplace et crie : « Guylaine, je suis calme, là, je suis calme ! »

L'excitation peut avoir différentes causes. La première est l'anticipation d'une activité, qu'elle soit connue et appréciée, comme pour Justin, ou tout à fait nouvelle.

L'excitation peut aussi être liée au stress, dû à la vitesse folle de nos vies, mais aussi à des changements à venir. Ainsi, depuis qu'elle sait qu'elle va déménager, Jade, 4 ans, habituellement attentive aux consignes, chante à tue-tête pendant la sieste, lance les vêtements de poupée… Même s'il y aura une grande chambre pour elle et une pour le bébé qui se trouve dans le ventre de sa maman, elle a peur de perdre ses points de repère – sa petite chambre avec tous ses toutous et sa douillette rose – qui la sécurisent.

Par ailleurs, l'agitation exprime parfois un besoin de libérer un trop-plein d'énergie demeuré captif dans les activités tranquilles comme la lecture, le bricolage ou les jeux d'ordinateur. D'autres fois, c'est la colère ou la frustration qui s'expriment par des objets balayés de la main, des courses folles ou des sauts ponctués de cris.

Enfin, la fatigue diminue la capacité d'écoute de l'enfant, qui s'agite alors comme un papillon inattentif aux messages de l'adulte.

AIDER L'ENFANT À RECONNAÎTRE QUAND IL DOIT RALENTIR

- Utilisez un stéthoscope jouet pour écouter le petit cœur emballé.

- Placez un papier mouchoir devant sa bouche. La respiration fait danser le papier mouchoir. L'inspiration l'attire vers la bouche, l'expiration le repousse légèrement. Plus la danse est rapide, plus grande est l'excitation.

- Faites remarquer à l'enfant que, lorsqu'il court, tombe ou entre en collision avec des objets ou des personnes, c'est le moment de ralentir son «petit moteur». C'est lui qui conduit «sa voiture» et qui peut en contrôler la vitesse.

Apprendre à se contrôler

L'enfant exerce un premier contrôle sur son corps lorsqu'il devient propre. Avec le temps, il prend conscience que certains comportements sont acceptés et que d'autres, comme lancer des objets ou blesser l'autre, sont rejetés. Cette intériorisation des règles sociales s'effectue progressivement et parallèlement à la capacité d'inhiber certains gestes : l'enfant apprend à s'arrêter, à s'asseoir et à parler à voix basse. Mais on ne peut s'attendre à ce qu'un petit de 2-3 ans se raisonne de lui-même et arrête de courir. L'adulte doit lui rappeler de faire la tortue, de marcher en souris ou simplement lui mettre doucement la main sur l'épaule.

En premier lieu, les attentes doivent être claires. Le calme peut prendre différentes formes : s'asseoir au repas, marcher dans la maison, parler doucement ou s'allonger pour la sieste… Combien de fois ai-je entendu une éducatrice s'époumoner : « Calmez-vous, les amis ! » sans aucun résultat, alors qu'une autre réussissait à diminuer le bruit et l'excitation générale en demandant, avant le repas, aux enfants de s'asseoir et de placer la tête sur la table pour écouter « monsieur silence » : les enfants, attentifs, découvraient alors les bruits environnants ou encore la magie d'une histoire susurrée dans le silence.

OUF, LE CALME !

Voici des moyens de favoriser le calme.

• Apprenez à l'enfant à exprimer ses sentiments pour éliminer la tension : « Justin, tu es tellement content d'aller au parc, et moi aussi, Youpi ! » Pour certains enfants, cela sera plus facile si on leur propose des gestes pour accompagner les mots : applaudissements pour « content » ou piétinements pour « fâché ».

- Prévenez l'«effet Presto»: l'enfant se retient tellement de bouger qu'il finit par exploser. Proposez des activités «tintamarre», des jeux d'eau, la manipulation de pâte à modeler ou de sable ou des activités de plein air.

- Aidez l'enfant à découvrir qu'il est maître de son corps et qu'il est capable de s'arrêter quand il le décide. Lorsqu'il court, faites-lui remarquer que son petit cœur bat vite, que ses jambes courent, que sa voix crie fort, que son souffle est rapide: «Tu es excité.» De retour à la maison, félicitez-le: «Tu as été capable de ralentir ton petit moteur. Tu marches lentement, tu parles tout doucement. Bravo, je vois que tu es capable de te calmer.» Proposez aussi des activités alternant activation et calme: le jeu de la voiture qui doit rouler au vert, ralentir au jaune et s'arrêter au rouge, ou encore le jeu de la statue pendant lequel l'enfant danse, bouge et doit faire la statue au signal. N'oubliez pas de le féliciter: «Bravo, tu as été capable de t'arrêter.»

- Donnez l'exemple en montrant votre façon de vous calmer. «Ah, là, je suis énervée. Il y avait beaucoup de circulation. J'ai besoin de silence ou de musique douce» ou «Je suis très en colère. Tu as fait une grosse bêtise. Laisse-moi me calmer. Je vais m'asseoir au salon pour respirer un peu et je viendrai te parler après.»

- Enseignez à l'enfant comment respirer lentement pour se calmer. Les images l'aident à retenir la technique: le papillon qui déploie ses ailes vers le corps puis vers l'extérieur, le ballon qui se gonfle ou se dégonfle; les mains jointes sur la poitrine qui s'ouvrent à l'expiration. Pour illustrer le chemin de l'air, on peut déposer un petit bateau de papier sur le ventre de l'enfant étendu et l'inviter à faire voguer le bateau en inspirant et en expirant.

- Aidez l'enfant à voir venir une colère naissante : «Tes poings sont fermés, tes yeux sont fâchés. J'ai l'impression que ton lion veut se réveiller. Viens, on va souffler sur la colère du lion.»

- Prévenez l'enfant de tous les changements en lui décrivant le déroulement de l'événement ou les lieux et en lui parlant de ce qui va se passer.

Respecter les autres

Se contrôler, c'est avant tout respecter les autres. En aidant l'enfant à se contrôler, on ne cherche pas à le restreindre. On lui fait prendre conscience qu'il est capable de s'arrêter, qu'il est le maître de son corps. Il prend ainsi progressivement contact avec ses émotions et leur expression. Il apprend que c'est lui qui décide de ce que font ses mains ou ses pieds. Il devient responsable de ses gestes. Il faut éviter le piège de l'excuse. À force de vouloir protéger l'enfant de la peine d'une réprimande, on le déresponsabilise. Plutôt que de dire : «Pauvre petit, ce sont tes mains qui ont fait une bêtise!» on dira : «Ce sont tes mains qui ont fait le dégât. Tu sais, c'est toi qui commandes tes mains. Dis-leur : c'est assez, les folies, les mains! Allez un peu vous reposer dans les poches.» Il ne faut pas blâmer l'enfant en le traitant de maladroit ou de méchant, mais viser le geste en intervenant calmement. En soutenant ainsi l'enfant qui apprend à arrêter ses gestes, on l'aide à intégrer un code moral basé sur le respect de soi et des autres.

LES IMPATIENCES DE FLORENCE

▼

La famille de Florence est réunie autour de la table pour le repas. Édouard, 6 ans, est en train de raconter un événement qui s'est produit dans la cour d'école. Du haut de ses 3 ans, Florence s'écrie: «Moi aussi, je veux parler!» Quand son père l'invite à attendre la fin du récit de son frère, elle se met à répéter «Papa, je veux parler!» d'une voix de plus en plus stridente.

Florence éprouve de la difficulté à attendre. Lorsque ses parents discutent entre eux ou tente de la faire patienter avant le dessert ou pour son tour de parole, il arrive que Florence les harcèle jusqu'à ce qu'elle ait obtenu ce qu'elle désire ou qu'elle se mette à taquiner son frère pour se distraire. Lorsque ces stratégies s'avèrent inefficaces, la tension monte, et tout finit généralement par une crise.

Ça fait partie de la vie

Pour l'enfant qui fréquente la garderie, la moitié du temps est consacrée aux routines et aux transitions. Bien que les éducatrices usent de créativité et de dynamisme pour les réduire, les enfants ont des périodes d'attente liées au fait qu'ils sont en groupe. Ils doivent attendre leur tour pour se laver les mains, pour qu'on les aide à s'habiller ou à faire un bricolage, pour obtenir un jouet ou avoir le droit de s'asseoir près de l'éducatrice. Certains enfants ont de la difficulté à s'habituer à ce rythme. L'attente les rend nerveux et parfois colériques. Quelquefois, ils en veulent à l'éducatrice qui leur fait subir ce « supplice ». Elle les entendra alors dire : « C'est pas comme ça à la maison. Je vais le dire à maman ! »

Certains parents ne donnent pas vraiment l'occasion à l'enfant de s'habituer à attendre ; comme ils ont affaire à peu d'enfants, ils ont souvent tendance à répondre immédiatement à leurs demandes. Pourtant, l'attente fait partie de la vie familiale : lorsqu'on est à la caisse pour payer l'épicerie, lorsque le repas n'est pas tout à fait prêt, lorsque papa doit finir une activité avant de pouvoir jouer ou lire un livre, lorsque maman doit passer un coup de fil avant de sortir au parc, lorsqu'on se retrouve dans la circulation au retour de l'école…

Est-ce trop leur demander ?

Deux facteurs sont à considérer : la durée de l'attente et la perception de cette durée. Celle-ci dépend avant tout de la nature de la demande. S'il s'agit de l'expression d'un besoin, l'adulte doit répondre dans un délai raisonnable puisque la réponse à ce besoin est, par définition, nécessaire à la survie et à la santé de l'enfant. Lorsque Florence s'impatiente avant le repas, c'est peut-être sa façon d'exprimer sa faim. Mais si, après s'être vue offrir des crudités pour répondre à ce besoin, elle réclame à la place du gâteau au chocolat, sa maman n'est pas tenue de répondre à ce désir. Elle pourra cependant parler de ce désir, ce qui ne dévalorisera pas sa fille et lui permettra d'imaginer le plaisir à venir : « C'est vrai, Florence, il sent bon, ce gâteau. Regarde, nous allons en couper un morceau pour ton dessert. »

À quel stade de développement l'enfant assimile-t-il la notion de temps comme étant une série d'actions successives? À quel moment comprend-t-il qu'il y a un avant et un après, un premier et un deuxième?

Observons un tout jeune bébé qui pleure pour avoir son biberon. Chez le nourrisson, seule la présence de la tétine ou du mamelon dans sa bouche calmera ses pleurs et déclenchera la succion. À 1 ou 2 mois à peine, il s'arrêtera de pleurer dès que sa maman le prendra dans ses bras pour la tétée. Vers 4 mois, il arrêtera de pleurer pour son lait en entendant sa maman lui dire: «Je vais préparer ton biberon, mon petit lapin!»

Même s'il est jeune, le bébé est déjà capable de percevoir les actions successives reliées à sa réalité. De son côté, sa maman exécute toujours les mêmes gestes dans le même ordre: quand son bébé pleure, elle change sa couche, lui promet son biberon, prend le biberon dans le réfrigérateur et le réchauffe, prend son bébé dans ses bras et lui donne le biberon. Le caractère stable et prévisible de cette succession d'actions lui permet d'anticiper la satisfaction de son besoin. En outre, le bébé acquiert un sentiment de confiance envers l'adulte et un sentiment de sécurité, car il sait que son besoin de s'alimenter sera satisfait.

En même temps, il apprend déjà à attendre grâce à la prévisibilité de ces suites d'actions. Ainsi, à la garderie, on voit les enfants de 1 an s'approcher de leur chaise haute quand l'éducatrice commence à ranger les jouets, car ils savent qu'ensuite ce sera le moment de manger. Plus ces routines sont stables et prévisibles, plus l'enfant est capable de comprendre la notion d'avant et après.

Vers 18 mois, alors qu'il dit ses premiers mots, le jeune enfant commence à comprendre les notions d'avant et d'après: il devient capable de se représenter mentalement la réalité et d'ordonner les événements dans le temps. Par exemple, lorsqu'il joue à la maman qui lange son bébé, il se souvient comment ses parents ont pris soin de lui. Il parle à sa poupée, la berce, lui chante des berceuses, lui donne le biberon. Avec ce jeu, il effectue une série d'actions qui se suivent dans un ordre logique. La capacité d'évoquer ces suites d'images démontre qu'il est capable de comprendre ce qui vient en premier, en deuxième, en troisième, etc. Et, quand on lui demandera d'être premier, deuxième ou troisième pour faire une action, il sera en mesure de le faire.

Des minutes interminables

Bien que le tout-petit soit capable de prévoir une situation en observant les actions précédant ou suivant un geste donné, il n'en demeure pas moins difficile pour lui d'en évaluer la durée exacte. La façon dont il perçoit la durée est influencée par ce qu'il ressent durant l'attente.

Avant 7 ou 8 ans, au moment où il acquiert la pensée logique, l'enfant est incapable d'évaluer objectivement le temps en minutes, en heures, en jours, en mois et en années. Mais même après cet âge, et durant l'âge adulte, la perception du temps varie selon les pulsions et les humeurs ressenties durant l'attente. Plus l'enfant aura à déployer d'efforts pour refréner ses pulsions, plus le temps d'attente lui semblera long. Il trouvera beaucoup plus difficile d'attendre son tour pour avoir accès à la nouvelle piscine à balles qu'à la glissoire dans la cour. De même, au moment du cercle avec les amis de la garderie, il sera plus impatient de raconter après les vacances des fêtes ce qu'il a eu comme cadeau à Noël que de parler de ses activités du dimanche le lundi matin. Toutefois, le second thème peu aussi susciter de l'impatience selon les enfants. Si, par exemple, l'un d'entre eux est allé à la pêche pour la première fois, il sera agité jusqu'à ce qu'il ait pu raconter ses aventures à ses amis. De même, toute activité plaisante nous semblera plus courte qu'une activité peu intéressante de même durée. Plus l'enfant est petit, plus sa perception du temps est subjective.

Attendre, ça s'apprend...

Face à l'impatience de l'enfant, il y a deux réactions extrêmes : réagir trop vite ou réagir trop lentement. Si les parents répondent trop rapidement à ses désirs, ils empêchent l'enfant d'apprendre à attendre et d'acquérir des mécanismes d'adaptation utiles car, dans la vie, on obtient rarement ce qu'on désire sur-le-champ. En revanche, s'ils le font attendre trop longtemps, son désir risque de s'étioler, voire de s'éteindre. Nous nous souvenons tous d'avoir, dans notre enfance, longuement convoité un objet. Une grande partie de notre satisfaction ne s'est-elle pas construite dans notre imaginaire ? Lorsque, enfin, nous l'avons obtenu, notre plaisir n'était-il pas accru par notre attente ? C'est pourquoi, lorsqu'on ne répond pas immédiatement à un besoin ou à un désir de l'enfant, il est bon, plutôt que de se contenter de refuser, de mettre des mots sur ce que l'enfant ressent. On peut lui dire par exemple : « Je sais que tu es déçu parce que tu ne peux pas sortir jouer tout de suite, mais il faut d'abord que je termine de nettoyer la table » ou « C'est difficile pour toi d'attendre, mais je sais que tu en es capable ». De même, si on ne peut lui offrir de bicyclette tout de suite, on peut lui demander de nous décrire celle qu'il voit dans ses rêves. Le fait de parler rend l'attente plus supportable pour l'enfant.

Pour soutenir l'enfant et l'aider à accepter l'attente, le parent doit avant tout lui offrir un milieu stable et rythmé par les activités habituelles. De petits gestes simples, adaptés à l'âge de l'enfant, l'aideront progressivement à apprendre à attendre.

Ainsi, la maman ne fruste pas son enfant en terminant ses deux bouchées avant de servir le dessert ou en lui disant qu'elle ne peut l'écouter maintenant parce qu'elle parle à son conjoint. Elle lui montre au contraire qu'elle le sait capable d'attendre. Il est aussi important d'offrir à l'enfant des repères temporels concrets pour mesurer le temps d'attente : « Je te lirai une histoire après cette émission », « Tu pourras te lever de ta sieste quand la cassette sera terminée », « Nous t'écouterons après Julie et avant Vincent », « Tu peux jouer jusqu'à ce que la grande aiguille de l'horloge soit sur le trois », « Regarde le calendrier. Aujourd'hui, c'est à toi d'utiliser l'ordinateur. Demain ce sera au tour de ton frère », etc. Ce genre de « support » aide l'enfant à structurer le temps tout en lui donnant le sentiment que la répartition des tours est équitable.

Aider l'enfant à parler de son impatience, valoriser sa capacité à attendre, lui apprendre à apprivoiser l'attente, c'est lui donner des outils pour vivre en société. Que ce soit en attendant son tour pour se balancer ou en laissant son petit frère terminer son jeu avant de prendre le jouet convoité ou encore en patientant jusqu'à ce qu'un camarade lui cède la parole, l'enfant développe progressivement sa sensibilité à l'autre et découvre la notion de réciprocité. Et surtout il acquiert une valeur essentielle : le respect de l'autre.

LES PREMIERS PAS DU PETIT VERS LE MONDE EXTÉRIEUR

▼

Ça clique tous ensemble

▼

Julien, 4 ans, s'approche de Mélodie qui pleure parce qu'elle s'est fait mal en tombant. En la relevant, il console la petite marcheuse qui en est à ses premiers pas. Pendant ce temps, Judith, 3 ans, négocie avec Simon, qui a 2 ans : « Est-ce que tu vas me donner ton jouet quand tu auras fini ? » Elle attend et l'observe avant de demander : « Simon, tu as fini ? Donne. » Elle a su s'exprimer pour se faire comprendre de Simon et lui offre un modèle pour une prochaine négociation.

Ces quatre enfants ont la possibilité de faire l'apprentissage d'habiletés sociales dans un groupe à âges multiples. Les plus jeunes observent les modèles proposés par les plus grands et en tirent profit. Quant à ces derniers, ils apprennent à être sensibles aux autres, acquièrent de la fierté et de la confiance en eux. En outre, ils manifestent de la flexibilité dans l'approche et un certain contrôle de soi. Ils doivent en effet adapter leur langage, exercer leur patience et leur capacité à attendre, et maîtriser leur désir impétueux de s'accaparer le jouet ou la première place.

Une question de choix

Au Québec, les parents ont le choix entre plusieurs types d'encadrement pour leur enfant. L'appellation *centre de la petite enfance* (CPE) désigne un milieu éducatif qui est un organisme sans but lucratif dépendant d'un conseil d'administration composé en majorité de parents qui participent aux décisions. Selon les besoins ou les valeurs de la famille, le CPE offre la possibilité d'intégrer l'enfant soit à un milieu familial, soit à une installation. Le milieu familial offre un cadre plus intime, où le ratio est de six enfants pour un adulte ou de neuf enfants pour deux adultes, **les enfants étant d'âges différents**. En installation, en revanche, on offre des services de garde pour plusieurs groupes d'**enfants réunis par tranches d'âge**, dans des locaux exclusivement réservés à des fins éducatives. Quant à la dénomination *garderie*, elle définit un milieu de vie éducatif qui accueille des enfants dans un but lucratif. Cela étant établi, voyons les différences entre ces divers milieux de garde afin de mettre en lumière les avantages des regroupements d'enfants d'âges multiples.

Des différences au quotidien

Le milieu familial et l'installation partagent la même orientation éducative, étant affiliés à un CPE, mais ils se distinguent par leur fonctionnement.

L'enfant qui fréquente le milieu familial pourra maintenir des liens significatifs durant plusieurs années avec le même adulte. Ce milieu de garde accueille des enfants de tous les âges, des poupons aux grands de 4-5 ans. Les frères et sœurs partagent leur quotidien auprès du même adulte. La possibilité d'accueillir des enfants d'âges différents dans un seul groupe facilite l'intégration des enfants de la même famille. Les enfants sont séparés de leurs parents, mais la cohésion des liens fraternels est maintenue. Une fois qu'ils se sentent en sécurité, adaptés à leur nouveau milieu de vie, ils cherchent d'eux-mêmes dans un élan d'autonomie naturel à créer d'autres alliances dans le jeu.

L'enfant intégré à un milieu de garde en installation se retrouve, dans la grande majorité des cas, avec des enfants du même groupe d'âge que lui, ce qui exclut le partage d'une aire d'activité durant une longue période avec son frère ou sa sœur. L'enfant passera environ un an avec le même groupe d'enfants et la même éducatrice. L'année suivante, il retrouvera quelques-uns de ses amis et devra s'adapter à un nouvel adulte.

Apprendra-t-il avec des petits ?

Quelquefois, les parents des enfants qui évoluent dans un groupe d'enfants d'âges différents s'inquiètent : « Mon enfant de 4 ans sera-t-il stimulé par des bébés ou des petits de 2 ans ? » ou « Les défis sont-ils assez stimulants pour le faire progresser ? » Les tenants du regroupement d'enfants du même âge affirment qu'une stimulation plus spécifique, tenant compte du développement par stades, favorise davantage les apprentissages.

Si la notion de stades de développement, expliquée notamment par Jean Piaget, offre certains points de repère utiles, il ne faut pas négliger l'apport des apprentissages sociaux sur le développement de l'enfant.

Certains sont prêts à admettre que les petits acquièrent des habiletés en imitant les gestes des grands, mais doutent que les grands en retirent des bénéfices.

Il est facile de démontrer les avantages pour ce qui est du développement social. La responsabilité sociale, le souci d'autrui et l'entraide font partie du quotidien des enfants regroupés en âges multiples. Le grand offre un coup de pouce au petit qui bricole ou qui s'habille. Le petit tire la manche de l'adulte pour l'inviter à le suivre auprès d'un grand qui pleure après une chute. Une fillette chante devant le bébé qui s'impatiente en attendant son biberon, un garçonnet fait le clown et réussit à faire rire un bambin qui s'ennuie de sa maman. Ce contexte d'entraide et de collaboration s'inscrit très bien dans le développement de l'estime de soi. L'enfant est reconnu pour ses forces et est appelé à se comparer à lui-même. Le climat de non-compétition est un antidote à l'agressivité. L'acquisition du langage s'appuie sur les exemples offerts par les plus âgés mais aussi par la stimulation de l'adulte. Grâce à ses interactions avec les plus grands, l'éducatrice enrichit le vocabulaire des petits et les invite à s'affirmer et à communiquer dans un mode propre à leur âge.

Ce qui préoccupe surtout les parents, c'est que leur enfant de 4 ans n'ait pas suffisamment de défis intellectuels si ses compagnons de jeu sont moins « évolués » que lui. Les théories socioculturelles du développement de l'enfant permettent de comprendre l'importance de l'apprentissage de la sociabilité et de la collaboration. L'apprentissage ne se fait pas de manière rectiligne mais en spirale : l'enfant consolide ses connaissances en retournant à des jeux moins évolués et en découvrant de nouvelles stratégies lorsqu'il doit faire face à des situations frustrantes ou à des défis.

Lorsque les grands appuient les petits dans leurs apprentissages, ils transmettent leurs façons de faire, expliquent leurs solutions et surtout explorent en parallèle ou en collaboration. Non seulement renforcent-ils leurs habiletés en communiquant ce qu'ils savent mais ils découvrent aussi de nouvelles perspectives.

Prenons l'exemple de deux enfants qui s'amusent dans un bac à eau. Odile, 15 mois, plonge les mains dans l'eau, s'amuse

à faire des éclaboussures, puis prend un entonnoir et un contenant. Émilie, 4 ans, partage ce coin-jeu avec elle. Elle joue à
observer ce qui flotte en immergeant différents objets dans
l'eau. Odile prend l'entonnoir et fait couler de l'eau dans la
partie étroite ; comme on peut s'y attendre, il y a plus d'eau à
côté de l'entonnoir que dedans. Émilie prend un autre entonnoir et lui dit : « Regarde, du côté du trou, ça coule mieux. »
Odile lâche alors son entonnoir, prend de petits objets un à un
et les met dans l'entonnoir. Odile et Émilie découvrent ainsi
ensemble ce qui flotte, ce qui bloque l'embouchure, ce qui
facilite l'égouttement rapide. L'éducatrice se joint à elles et
parle de ce qui est perméable et imperméable. Elle fait des
analogies entre cette expérience dans le jeu et le lavabo qui
s'est obstrué, parle du rôle du plombier, des outils qu'il utilise,
et ainsi de suite. Ce simple jeu d'eau avec une enfant plus petite
devient pour Émilie une source d'apprentissages variés :
enrichissement du vocabulaire, exploration et découverte des
propriétés des objets ou des phénomènes naturels, etc.

Des besoins particuliers

Non seulement le milieu de garde pour âges multiples sait
répondre aux besoins de stimulation et de socialisation de
l'enfant, mais il possède aussi la qualité de favoriser l'intégration harmonieuse des enfants ayant des besoins particuliers.

L'étude Ryerson* portant sur les regroupements multi-âges
a démontré la valeur de cette aproche en ce qui a trait à l'inclu-
sion d'enfants qui ont des niveaux d'habiletés différents.

Par exemple, l'enfant de 4 ans dont le développement lan-
gagier et social est celui d'un enfant de 2 ans aura l'occasion

*Cette étude a été subventionnée par trois organismes : Développement des
ressources humaines Canada, Child Care Vision et Ryerson Polytechnic
University.

de réussir avec les 2 ans et ainsi de renforcer son estime de soi tout en étant progressivement stimulé à son propre rythme par l'adulte et ses camarades. Fort de ses succès, il s'aventurera vers des explorations susceptibles de le faire avancer.

Dans ce contexte, cet enfant a aussi sa place au sein des 4 ans du groupe, puisqu'on favorise chez les compagnons de jeu l'ouverture, la tolérance et la sensibilité envers lui. Les autres enfants seront amenés à le considérer comme celui qui est en train d'apprendre à parler, à jouer doucement avec les autres plutôt que de lui donner des étiquettes telles que «enfant de 4 ans intégré dans un groupe de 2 ans», de «pas capable», ou de «handicapé».

Faciliter l'intégration des allophones

Le milieu multi-âges permet également à des frères et sœurs déracinés de leur appartenance culturelle de s'adapter en s'appuyant mutuellement et de façon progressive. Le fait d'être baigné dans une langue différente leur apparaît, dans un cadre familial, bien moins impersonnel.

Sensibles à l'aspect multiculturel de notre société, certaines garderies essaient d'engager dans leur équipe des éducatrices issues des mêmes cultures que les enfants : ces dernières sont capables de créer des liens rapidement en s'entretenant avec les petits dans leur langue maternelle. Imaginez le réconfort de l'enfant lorsqu'il peut être compris et aussi partager les difficiles moments où il est séparé de sa famille ou de ses frères et sœurs.

Entrez tous dans la ronde

Attachement rassurant, stimulation adéquate par l'apprentissage social et la collaboration, intégration harmonieuse des enfants ayant des besoins particuliers et adaptation progressive des enfants allophones, voilà autant de raisons d'adopter un milieu de garde qui reçoit des enfants d'âges multiples.

Ce type de regroupement reproduit la cellule familiale et les groupes naturels d'enfants. Souvenez-vous des plaisirs partagés avec les enfants du quartier. Les jeux de drapeau, de cachette ou les joutes sportives ont fait la joie de nombreux enfants rassemblés dans la rue. Alors, petits et grands, entrez tous dans la ronde !

DIFFÉRENT PARMI SES SEMBLABLES

▼

« Enfants aux besoins particuliers cherchent place en garderie. » Trouver un service de garde de nos jours, ce n'est pas facile. Et lorsque notre enfant a des besoins particuliers, la difficulté est encore plus grande et les parents doivent mener un véritable combat, jour après jour, pour y parvenir.

Martin, 4 ans, agite un jouet sonore devant Évelyne qui est retenue sur une chaise par des ceintures. Évelyne est atteinte du syndrome de Rett, une maladie dégénérative du système nerveux central. Elle ne marche pas, ne parle pas et semble insensible aux bouffonneries de Martin. La main droite de la petite fille tord sa main gauche, la relâche et la saisit de nouveau. Martin poursuit son manège : « Regarde la balle. Elle descend. » La balle siffle en se déplaçant dans le tube transparent. Martin fait redescendre la balle et imite le sifflement : « Sssss....... » Le miracle se produit. Évelyne l'observe et s'intéresse à l'objet. Martin jubile. Il appelle son éducatrice : « Christine ! Évelyne joue avec moi. » À l'heure du repas, deux enfants entourent Évelyne : l'un lui met un bavoir et l'autre lui parle doucement. « Je vais enlever ta main et la tenir pour que Christine puisse te donner à manger », dit ce dernier. La scène me touche tellement que je reste là immobile auprès des enfants, au bord des larmes, alors que l'éducatrice aurait besoin d'aide pour le lavage des mains.

Des enfants à défis particuliers en milieu de garde

Selon l'Office des personnes handicapées du Québec (OPHQ), 40 % des garderies intègrent des enfants qui ont des incapacités. Il s'agit d'une progression de 25 % en 2001-2002 par rapport à 1999-2000.

Quelques garderies se sont même dotées d'une politique d'intégration. Elles offrent des places réservées, un aménagement adapté et des ressources humaines et financières facilitant la mise en place et le suivi d'une intervention. Mais ces milieux conscients des besoins particuliers des enfants handicapés et de leur rôle social sont peu nombreux. Pourtant, les avantages pour ces enfants et le groupe avec lequel ils partagent leur quotidien sont indéniables.

Avantages de l'intégration

Chantal Lavoie est très fière de ses deux garçons, Francis et Olivier. Elle est très satisfaite de leur intégration en milieu de garde. Les jumeaux sont maintenant capables d'avoir des interactions spontanées et de commencer de petites conversations. Ils ont des jeux plus diversifiés et imitent les adultes. Ils ont des crises moins fréquentes et utilisent parfois les stratégies qu'on leur a montrées pour régler leurs conflits. « Ça suffit ! » disent-ils, par exemple, à un ami qui les dérange. Tout un exploit pour ces petits dysphasiques qui manifestent des troubles de la communication associés parfois à des troubles neuromoteurs ! Ces progrès sur les plans du langage et de la socialisation ont été possibles grâce à une intégration réussie.

De son côté, Chantal Lavoie fait des visites régulières chez l'orthophoniste et l'ergothérapeute. Ces spécialistes sont venues rencontrer l'éducatrice du groupe et l'éducatrice de soutien pour leur enseigner des stratégies éducatives et des exercices de stimulation. Ainsi, les enfants du groupe ont l'occasion de faire avec les jumeaux l'exercice de la pelle mécanique et de s'étirer comme des chats, ce qui les amuse beaucoup.

La garderie n'est pas un centre de réadaptation, mais un milieu de vie où les stimulations s'intègrent aux jeux et aux routines. Chantal Lavoie ne tarit pas d'éloges à propos de l'éducatrice. « Christine a toujours cru au potentiel de mes enfants. Elle s'est montrée souple et sensible à leur rythme. Elle a fait preuve d'ouverture et de curiosité pour comprendre leurs réactions. »

L'intégration des enfants ayant des besoins particuliers favorise leur développement grâce aux interactions avec des pairs plus habiles qu'eux sur certains plans. Leurs habiletés sociales s'améliorent. Ils acquièrent un sentiment d'appartenance au groupe et une meilleure estime de soi en constatant qu'ils sont acceptés et capables d'exécuter de nombreuses choses comme les autres.

Un plus pour tous les enfants

L'intégration permet de transmettre des valeurs telles que le respect des différences, la tolérance et l'entraide. Les enfants profitent de la présence de leurs camarades qui ont des défis particuliers, car ceux-ci possèdent aussi des capacités adaptatives exceptionnelles. Leur détermination est, par exemple, une source d'inspiration pour tous les enfants qui abandonnent si rapidement devant une difficulté. Ainsi, l'éducatrice parle des difficultés motrices d'Antoine en précisant qu'il travaille pour obtenir des muscles plus forts. De Marc-André, un enfant très agité, elle dit aux enfants qu'il a un petit moteur qui va très vite, comme une auto sans freins, et qu'il est en train d'apprendre à ralentir. Quant à Juliette, c'est une bonne conteuse d'histoires, mais elle doit apprendre à grimper et à courir. Lorsque chaque enfant du groupe est reconnu pour ses forces, ses qualités et aussi par rapport à ses apprentissages, les valeurs de respect et d'entraide s'installent.

Les enfants développent leur sensibilité dans les contacts avec des enfants aux besoins particuliers. J'en ai vu qui, pour parler à un petit camarade malentendant, s'assuraient d'avoir un contact visuel avec lui et accompagnaient leurs paroles de gestes en langage de signes. Les enfants deviennent parfois des petits professeurs, ce qui améliore leur estime de soi. Dans une société où le harcèlement et la violence dans les cours d'école sont monnaie courante, l'apprentissage de la tolérance envers les différences, dès le plus jeune âge, me semble un antidote de choix.

Des poches de résistance

Bien que certains milieux de garde se montrent engagés et enthousiastes envers l'intégration des enfants à besoins particuliers, d'autres hésitent à adapter leurs pratiques éducatives. Certaines éducatrices croient que cela entraînerait une surcharge de travail, d'autres craignent de blesser l'enfant par ignorance des soins à prodiguer.

Au cours d'une soirée de parents où j'avais été invitée comme personne ressource, une mère déplorait qu'un enfant handicapé ait été accepté dans le groupe de son fils. L'attention requise pour cet enfant était, selon elle, la cause des jeux sexuels observés dans le groupe des 4 ans, car l'éducatrice, trop occupée, avait perdu de vue les jeux des enfants.

DES CHIFFRES

Selon le ministère de l'Emploi, de la Solidarité sociale et de la Famille du Québec, les services de garde ont accueilli 1453 enfants handicapés en 2002. Les deux tiers de ces enfants fréquentent un centre de la petite enfance, alors que les autres se retrouvent dans une garderie en milieu familial. Chaque année, une centaine d'enfants handicapés trouvent une place en service de garde.

Selon Statistique Canada, le manque d'aide extérieure a des répercussions sur la situation professionnelle des parents d'une enfant souffrant d'un handicap. L'un des deux doit rester à la maison pour s'occuper de lui. Dans 70% des cas, c'est la mère qui met momentanément de côté ses ambitions professionnelles.

Les contraintes budgétaires peuvent aussi limiter la mise en place des ressources nécessaires à l'intégration harmonieuse des enfants différents. La présence d'une éducatrice de soutien est parfois obligatoire pour le bon fonctionnement de l'enfant et du groupe. Les subventions gouvernementales allouées aux CPE qui reçoivent des enfants à besoins particuliers sont largement insuffisantes pour payer son salaire à temps plein. Certains enfants s'adaptent rapidement : l'éducatrice de soutien travaille alors avec eux seulement durant les périodes de la journée où les besoins de l'enfant sont plus criants. Malheureusement, pour d'autres, sa présence constante est nécessaire. L'uniformité des allocations ne permet pas de répondre aux enfants ayant des besoins plus importants. Il faudrait assouplir les modalités des subventions et faire une analyse personnalisée de chaque cas. Cette tâche colossale serait une mesure incitative à l'intégration.

Non à la marginalisation

Depuis deux ans, j'observe une tendance à exclure les enfants qui ont des besoins particuliers. Dans certains milieux de garde, on les met dans des groupes spéciaux sous prétexte de leur offrir du personnel spécialisé. On aboutit ainsi à la formation de ghettos d'enfants étiquetés dès leur jeune âge. Peut-on parler de réelle intégration dans un tel contexte ?

Les recherches démontrent que le fait de regrouper les enfants qui ont des troubles de comportement conduit à l'imitation des conduites inadaptées. En effet, ces derniers apprennent difficilement les comportements sociaux acceptables, puisqu'ils sont en contact seulement avec des enfants éprouvant les mêmes difficultés de communication qu'eux. Ces exclusions dès la tendre enfance sont déplorables. Avons-nous réellement besoin de ces groupes spéciaux pour faire cheminer ces tout-petits qui attendent avant tout l'amour et, surtout, qu'on croie en eux et à leur potentiel de croissance ? Lorsque je vois ces petits rassemblés et isolés du reste de la vie en garderie, leurs activités se faisant en marge du groupe d'appartenance, je constate qu'il ne s'agit pas d'une intégration mais plutôt d'une exclusion déguisée.

Un partenaire essentiel

Le parent connaît intimement son enfant. Il l'a vu grandir, parfois régresser. Il voit son enfant bien au-delà de ses difficultés et en saisit le tempérament unique. Il reconnaît en lui, tantôt le sourire de la mère, tantôt le goût des blagues du père. Sensible aux moindres progrès de son enfant, il porte l'histoire de son évolution. Il est le gardien de son bien-être. Il est donc appelé à participer aux discussions relatives aux modalités d'intégration de son enfant ainsi qu'aux interventions proposées dans le cadre du plan de stimulation.

Le parent a donc le droit de visiter le milieu de garde, de questionner les intervenants afin de s'assurer que les services sont offerts à son enfant. Il connaît les besoins particuliers de ce dernier et doit les communiquer au personnel. La réussite de l'intégration repose en grande partie sur la qualité des liens entre les parents et les éducateurs. Si le parent est confiant, il transmet un sentiment de sécurité à son enfant.

Différents et semblables

Je rends hommage à toutes ces éducatrices décidées à relever le défi d'accompagner ces enfants et qui travaillent fort pour qu'ils soient vraiment intégrés. Elles suivent des formations, participent à des rencontres cliniques multidisciplinaires, partagent avec l'éducatrice de soutien l'encadrement de leur groupe et ont de fréquents échanges avec les parents. Elles sont conscientes que ces enfants ont les mêmes besoins d'amour, de respect, de plaisir et de stimulation que tous les autres. Ces éducatrices vous diront toute la satisfaction qu'elles retirent de la présence de ces enfants. Les progrès qu'ils réalisent jour après jour représentent des efforts, de l'amour et de grands pas vers un meilleur avenir pour eux.

JOURNÉE D'ENFER À LA GARDERIE

▼

Le rapport quotidien remis par l'éducatrice de la garderie peut, à l'occasion, mettre les parents dans tous leurs états. Pourtant, bien utilisé, ce bilan de la journée constitue un précieux outil de communication.

Les parents dont l'enfant fréquente un milieu de garde connaissent sûrement les « carnets de bord ». Dans ces rapports quotidiens, on retrouve des observations sur l'appétit de l'enfant, sur son état de santé, ses centres d'intérêt et ses comportements. Ces outils de communication sont particulièrement précieux lorsque l'horaire des parents et celui de l'éducatrice ne leur permettent pas d'avoir des échanges à l'arrivée ou au départ de l'enfant.

Dois-je le réprimander?

Les informations destinées aux parents prennent différentes formes. On utilise souvent des pictogrammes; bonhomme souriant, grincheux ou triste pour l'humeur, fleur à quatre pétales pour le respect des consignes (l'enfant qui suit les consignes en aura quatre et le petit contrevenant, un seul), de une à trois fourchettes pour l'appétit. On retrouve aussi des commentaires parfois vagues et sujets à interprétation; par exemple: journée à oublier, journée méli-mélo, mauvaise journée, journée agitée ou encore bonne journée, bonne participation, etc. Enfin, les parents peuvent lire sur la fiche la description de comportements répréhensibles: coups, cris, crises... La liste des méfaits prend parfois l'allure d'un réquisitoire. Le parent se trouve face à l'image d'un enfant bien éloignée de celle qu'il se fait de son chérubin. Est-ce possible, se demande-t-il, que mon propre enfant se transforme ainsi lorsqu'il se retrouve en groupe?

Plusieurs parents se demandent comment réagir face à leur bout de chou. Dois-je reparler à mon enfant du coup de pied qu'il a asséné à sa copine Julie? Dois-je punir Mathieu à la maison parce qu'il a frappé son éducatrice? Quelles sont les stratégies efficaces pour modifier les comportements de mon enfant?

La punition à la maison pour une faute commise dans le milieu de garde n'est pas porteuse de sens pour l'enfant. D'une part, le comportement condamnable a été sanctionné par l'éducatrice; d'autre part, ce comportement est déjà trop éloigné dans le temps. En effet, l'enfant vit dans le présent et le concret. Le contexte de la situation conflictuelle a disparu de sa mémoire. L'enfant subit une punition sans vraiment comprendre ce qu'on lui reproche et surtout quel comportement différent est attendu de lui. La deuxième méthode souvent utilisée, le sermon, porte rarement fruit. Certains enfants voient même un certain avantage à se faire réprimander. Ainsi, Jonathan a observé que, lorsqu'il n'y avait aucune mention particulière dans le rapport de la journée, maman ne venait pas le voir le soir pour lui dire qu'il est important d'être gentil. Par contre, lorsqu'il n'écoute pas les consignes, crie des injures ou s'oppose à son éducatrice, celle-ci l'écrit dans le carnet de bord, ce qui provoque un scénario prévisible à la maison. Maman le dispute au retour dans le voiture, en parle à papa au souper. Papa chicane à son tour et enfin, même si Jonathan est privé d'histoire, papa et maman viennent le voir dans son lit pour lui reparler de sa «mauvaise journée». Il arrive même que papa se fâche et parle fort parce que Jonathan sourit de plaisir devant autant d'attention.

Des messages qui construisent

Si les messages concernant votre enfant sont fréquemment négatifs, demandez à rencontrer son éducatrice. Cette rencontre permettra d'identifier les besoins que l'enfant exprime par ses comportements et de s'entendre sur les moyens d'y répondre adéquatement. La première étape est de cesser de se centrer sur les aspects négatifs et de découvrir ensemble les forces, les qualités de l'enfant. C'est sur celles-ci que l'on doit s'appuyer pour l'amener à faire des apprentissages. Que les besoins de l'enfant concernent la sécurité, l'encadrement, l'attention ou la stimulation, son cheminement devra se faire avec des mots constructifs. C'est en nommant les efforts, les tentatives, même maladroites, et les bons coups que nous l'accompagnons dans la découverte de ce qu'il possède en lui. Il a les qualités et l'aide nécessaire pour apprendre à devenir soit plus autonome, soit plus sociable.

Du côté des éducatrices, le carnet de bord devrait constituer un outil constructif où, idéalement, les anecdotes amusantes, les situations de réussite et les efforts sont notés et lus à l'enfant quotidiennement, au moment de leur transcription : «Évelyne, j'écris à maman que tu as été capable de boutonner ton habit de neige toute seule», «Jonathan, je dis à ton papa et à ta maman que tu as trouvé très difficile d'attendre le jouet mais que tu as réussi à le demander», «Camille, j'écris que tes amis ont trouvé que ton idée de construction était bonne et ont voulu jouer au même jeu que toi », etc. Vous reprenez donc avec votre enfant les éléments positifs du quotidien. L'enfant reçoit le message du regard ou de l'attention portés sur les gestes positifs.

Les mots construisent la confiance qu'a l'enfant dans sa capacité de s'améliorer ou de répondre aux attentes des éducatrices ou de ses parents. Les difficultés de l'enfant ne sont pas pour autant passées sous silence, mais plutôt exprimées sous forme d'objectifs à atteindre, partiellement atteints ou en consolidation. Les parents de Jonathan pourront donc lire une fois par semaine ou par quinzaine : « Jonathan éprouve encore de la difficulté à partager, il cède à l'occasion le jouet avec lequel il s'amuse mais réussit maintenant à demander le jouet qu'il convoite et à attendre quelques minutes. Lorsque l'attente se prolonge, je dois l'accompagner, car il contrôle peu ses mains et arrache le jouet des mains de l'autre. Par contre, il exprime sa difficulté et vient de plus en plus souvent chercher mon aide pour négocier. Bravo Jonathan, tu fais des progrès ! »

Faire confiance à son enfant

Les bilans quotidiens informent sur les progrès et les besoins de soutien complémentaire de votre enfant. Une communication éducatrice-parent orientée seulement sur les problèmes s'inscrit très mal dans la confiance que nous avons de voir l'enfant se développer. Les informations négatives auxquelles les parents donnent suite par une punition ou un sermon à la maison alimentent l'identité négative de l'enfant. Dans L'estime de soi, un passeport pour la vie*, Germain Duclos écrit : « S'il a intériorisé une identité négative, il a tendance par répétition

---

*DUCLOS, Germain. L'estime de soi, un passeport pour la vie. Montréal : Éditions de l'Hôpital Sainte-Justine, 2000. (Collection de l'Hôpital Sainte-Justine pour les parents)

compulsive à la confirmer et à la défendre par un comportement négatif.» Lorsque les mots construisent, le carnet de bord
devient un pont inondé de lumière entre la famille et le milieu
de garde. L'enfant y marche en toute confiance dans le plaisir de
la découverte, deux piliers bien enracinés facilitant sa traversée.

Le petit apprend à se faire des amis

▼

LES AMITIÉS DES TOUT-PETITS

▼

Juliette, 3 ans, s'avance vers Djamila qui s'affaire dans le coin cuisine. Elle prépare un repas, met le couvert. «Djamila, t'es mon amie, hein? T'es mon amie.» Juliette a récemment découvert les plaisirs de ce coin-jeu et elle y passe beaucoup de temps. Elle a choisi Djamila pour amie, car elle partage son intérêt pour les jeux de «faire semblant». Il y a un mois, lorsqu'elle s'intéressait plus aux blocs et aux autos, elle se tournait plutôt vers Juan.

Comment les tout-petits se font-ils des amis?

En amitié, les tout-petits papillonnent au gré de leurs champs d'intérêt. Les partenaires ne sont pas choisis pour leur identité ou leurs caractéristiques personnelles. Les amitiés sont superficielles, centrées sur les besoins immédiats, car l'enfant est profondément égocentrique et recherche avant tout son plaisir. Il s'amuse avec celui qui alimente sa découverte. Juliette est passée de Juan à Djamila en suivant ses passions de jeu. Il existe également d'autres critères de sélection en ce qui concerne les amitiés chez les petits. Par exemple, lorsqu'un groupe se constitue, ceux qui se connaissent se rassemblent, car la familiarité sécurise. Deux enfants du même voisinage qui se sont vus à l'occasion au parc auront tendance à jouer ensemble lorsqu'ils se retrouvent à la garderie.

Enfin, les petits excluront de leurs jeux un enfant qui les agresse régulièrement : « Je veux pas jouer avec lui. Il nous fait toujours mal. » L'enfant qui exprime ses frustrations en frappant ou qui ne parvient pas à entrer en contact de façon positive sera rejeté par le groupe.

Amitié abusive ?

Xavier et Guillaume, 4 ans, jouent au maître-chien. Xavier ordonne : « Assis ! Marche ! Couche ! » Guillaume, à quatre pattes, obéit docilement. La mère de Xavier s'inquiète de l'attitude dominatrice de son fils. Quant à l'éducatrice, elle se demande si elle devrait aider Guillaume à sortir de l'emprise de son petit copain. Il n'y a pas lieu de s'inquiéter. Les petits expérimentent des rôles : domination, soumission, assistant, observateur… Leur égocentrisme les empêche de considérer le point de vue de l'autre. C'est avec l'aide des adultes qu'ils peuvent progressivement devenir plus sensibles à l'autre. Ainsi, dans le cas de Xavier et de Guillaume , on peut aider le premier à écouter l'autre qui s'affirme, et le second, à énoncer ses limites à son ami : « Regarde, Xavier, Guillaume crie. Il ne veut plus être le chien, il a mal aux genoux », « Guillaume, dis-lui que c'est ton tour d'être le chef ! »

Amour féroce

Rémi et Louis sont inséparables à la garderie : ils sont complices dans le jeu, s'assoient ensemble au dîner, sont côte à côte pendant les causeries. Les rires foisonnent, mais les cris et les coups fusent aussi ; l'éducatrice cherche alors à les séparer.

Bousculades pour être le premier ou pour être près de l'éducatrice, cris pour obtenir un jouet, les conflits sont fréquents. Ces disputes s'expliquent par la similarité des intérêts des garçons : qui se ressemble s'assemble, dit l'adage. Lorsque les deux enfants partagent les mêmes goûts et sont aussi affirmatifs l'un que l'autre, les volontés s'opposent, s'affrontent. En isolant les enfants, on ne leur permet pas d'apprendre la résolution pacifique des conflits, ni l'art de négocier. Il est préférable de respecter les alliances naturelles et de les aider à découvrir des moyens de s'entendre qui leur permettront de continuer à jouer ensemble.

Je n'existe que par toi

Léa, du groupe des 4 ans, attend Madeleine, son amie inséparable. L'éducatrice l'invite à dessiner avec Isabeau ou à faire un casse-tête avec Jean. Elle refuse et surveille les vestiaires dans l'espoir d'y voir Madeleine et son papa. À son arrivée, Madeleine choisit un jeu puis un livre d'histoire. Léa la suit et l'imite : elle est l'ombre de Madeleine. Quand Madeleine n'est pas là, Léa vivote, entre peu dans le jeu, pleure. Léa est dépendante de son amie. Elle souhaite l'exclusivité et se montre possessive. Lorsque Madeleine accepte de jouer avec d'autres petites filles de son groupe, Léa tente de la convaincre de refuser leur présence : « Elle est pas gentille, elle vient pas jouer avec nous », « Non, pas toi. Va-t-en ! » Léa s'accroche à son amie Madeleine, tout comme elle l'avait fait avec son éducatrice et, avant, avec sa mère.

Léa a besoin de développer son autonomie affective, d'acquérir un sentiment de confiance en elle. Lorsque l'adulte croit aux capacités de l'enfant, favorise ses élans de créativité et le soutient dans ses initiatives, il lui envoie un message de confiance. « Je sais que tu es capable, je suis sûr que tu choisiras une belle couleur et un jeu qui te plaît. » Ainsi, en donnant à Léa des occasions de choisir, de bricoler seule, en valorisant ses gestes autonomes, on lui fait prendre contact avec sa propre identité en l'amenant à affirmer qui elle est, ce qu'elle veut. Léa a aussi besoin d'être rassurée face à l'amour qu'on lui porte et de savoir qu'on l'apprécie pour ce qu'elle est.

Je veux me marier avec toi

Quand je demande à Béatrice, 4 ans, le nom de son ami préféré, elle me répond qu'elle a un amoureux et qu'il s'appelle Germain. Elle le pointe du doigt : il est en train de faire des plans architecturaux avec Philippe un peu plus loin et ne semble pas très ému par le regard tendre de Béatrice. Je lui réponds que, moi aussi, j'ai un amoureux qui s'appelle Germain. Elle crie : « Non, je veux pas. C'est moi. Je veux me marier avec lui ! » Pour la rassurer, je lui explique que « mon » Germain pourrait être son grand-père. Elle sourit, soulagée. Bien que Germain ne partage pas ses projets de couple, Béatrice cherche sa présence et le désigne fièrement comme son amoureux.

Cette candeur face à un amour non partagé s'explique par l'égocentrisme de la petite enfance. Béatrice a jeté son dévolu sur Germain et ne s'occupe que de ses propres sentiments. Comme son papa lui a expliqué qu'il ne peut se marier avec elle parce qu'il est amoureux de sa maman, elle devient l'amoureuse de quelqu'un d'autre. « Germain aime les mêmes films que moi, et il est gentil. » Que le petit Germain dise l'aimer ou pas et préfère la présence des garçons, cela ne la perturbe nullement : seul son point de vue l'intéresse. Les amours en petite enfance sont passagers, égocentriques et bien volages. La conscience de la nature des sentiments amoureux apparaîtra plus tard, à l'âge scolaire. L'enfant pourra alors être triste de constater que l'autre ne partage pas ses sentiments.

Le rôle des parents

À l'âge préscolaire, les parents exercent une grande influence sur les enfants. Plus les enfants vieillissent, plus les amis les influencent, mais les valeurs transmises demeurent vivantes dans toutes leurs relations. Personnellement, il m'est arrivé de m'inquiéter du choix de ma fille. Vers l'âge de 11 ans, Émilie fréquentait une copine de classe qui avait beaucoup d'emprise sur elle. Émilie devenait cachottière, impolie et menteuse, ce qui lui valait des reproches et des ennuis. Je me demandais s'il fallait lui interdire de fréquenter son amie. Je lui ai plutôt parlé des changements que j'avais notés et je lui ai surtout fait remarquer qu'il n'y avait pas de rires, ni de plaisir dans les moments passés auprès de cette amie. Les visites de cette copine se sont espacées. Une autre amie, Marie-Hélène, sportive, enjouée et honnête, est revenue à la maison, et j'ai retrouvé ma fille.

Les parents des tout-petits peuvent choisir qui viendra jouer à la maison, mais leur réel pouvoir, celui qui déjouera toutes les influences extérieures, est le pouvoir d'influence lié à la transmission des valeurs. Lorsque vous apprenez à votre tout-petit à dire non, à affirmer ce qu'il veut, à choisir, à se faire confiance, vous lui apprenez à écouter sa petite voix intérieure, celle qui saura le protéger. Lorsque vous êtes ouverts aux différences individuelles, vous lui enseignez la tolérance et le respect. Lorsque vous l'accompagnez dans la résolution pacifique d'un conflit, vous lui transmettez des valeurs de respect de soi et de l'autre. Lorsque vous lui demandez d'écouter son frère qui lui parle, vous l'amenez à développer sa sensibilité à l'autre.

Toutes ces valeurs s'enracineront chez votre enfant ; elles l'habiteront et feront de lui un être généreux et empathique. Et, plus tard, un adulte qui se connaît et se respecte et qui, surtout, sait aimer.

MORDRE L'AMI À PLEINES DENTS

▼

Antoine, le papa d'Éloïse, fulmine. Il vient de voir des marques de dents sur la petite joue rose de sa fille. Julie, la mère de la croqueuse, se sent mal à l'aise et s'explique difficilement ce comportement « cannibale » : sa fille serait-elle devenue une enfant agressive ?

Pour comprendre ce geste, il faut tenir compte du stade de développement de l'enfant. Des morsures faites par un enfant de 10 mois, de 2 ans ou de 4 ans n'ont pas le même sens.

Des dents qui poussent, une bouche qui découvre

Le bébé entre en contact avec le monde qui l'entoure par la bouche. La relation avec la mère passe par la tétée, à travers le contact du lait chaud dans la bouche et la douceur du sein entre les lèvres. Dès qu'il rampe, il explore en mettant à sa bouche ce qu'il découvre sur son chemin. Il suce, mange, mord, recrache l'objet de son exploration. Cette phase, dite orale, peut se prolonger jusqu'à 18 mois. La bouche permet à l'enfant de découvrir ce qu'il aime ou n'aime pas, et elle constitue aussi son mode d'expression avant l'apparition du langage.

La morsure des petits trottineurs a parfois l'allure d'un geste d'exploration maladroit. Par exemple, s'il explore les saveurs de la joue ou du bras du bébé qui se trouve à côté de lui, il découvre que cette dégustation provoque une réaction très sonore. Cet enchaînement action-réaction devient source d'apprentissage. Le « mordeur » prend conscience que son geste entraîne une réaction, ce qui est à la base du concept de cause à effet. Le chercheur en herbe a donc besoin que l'adulte lui procure des occasions, des jouets, qui lui permettront d'expérimenter les réactions provoquées par ses gestes. Les jouets sonores remplissent bien cette fonction.

La « mordée » est parfois l'expression de l'amour féroce. Les petits observent les adultes qui s'embrassent amoureusement ou disent: « Je t'aime assez, je te mangerais. » Ils intègrent cette image dans leurs relations et expriment leur amitié par un coup de dents. Ils n'ont pas encore assez de contrôle de soi pour exprimer la joie, l'excitation ou l'amour par un tendre baiser. L'adulte doit aider l'enfant en traduisant le sens de son geste : « Tu veux dire à ton ami que tu l'aimes, que tu es content mais quand tu parles avec tes dents, il n'aime pas ça. Tes dents font mal. Tu peux lui dire « Je t'aime » en lui faisant un bisou tout doux comme un papillon juste sur le bout des lèvres, comme ça, ou en lui faisant une petite caresse, une accolade. Montre-moi comme tu le fais bien. » L'adulte invite l'enfant à le lui faire et le félicite. L'enfant pratique l'approche douce avec l'adulte à quelques reprises et peut par la suite montrer son affection à son ami de façon plus tendre.

La pousse des dents peut aussi expliquer les morsures répétées. Les vingt dents apparaissent entre le huitième mois et l'âge de 3 ans. La pousse des premières dents est douloureuse: la dent perce et coupe la gencive. Le petit bave, fait des mouvements de mâchoire pour frotter ses gencives et cherche à mordiller pour se soulager. Le traitement consiste simplement à fournir au petit crocodile des jouets conçus à cette fin ou à le laisser mâcher des aliments durs. Il faut lui dire qu'il peut mordre dans ces objets pour faire du bien à ses dents mais qu'il est défendu de mordre un ami.

Passer des maux aux mots

Une étape importante du processus de socialisation s'amorce vers 18 mois, parallèlement à l'apparition du désir d'affirmation et d'autonomie. Les contacts sociaux génèrent du plaisir mais aussi des contrariétés. Les conflits à propos de la possession d'un objet, les luttes de pouvoir pour obtenir un jouet, une première place ou l'attention de l'adulte sont autant de sources de frustration. Les tentatives infructueuses de l'enfant pour s'opposer à la volonté de l'adulte génèrent aussi des tensions. Il peut alors exprimer son insatisfaction en poussant, en frappant ou en mordant.

Bien que ces comportements soient normaux, et notre rôle d'adulte consiste à favoriser le passage du mode préverbal au mode verbal. Il faut amener l'enfant à exprimer sa colère sans blesser les autres.

Telle n'est d'ailleurs pas l'intention de l'enfant qui mord : il agit sous l'effet d'une pulsion et ignore la portée de ses actes. En lui faisant prendre conscience de l'effet de son geste, nous l'aidons à devenir graduellement plus sensible aux autres. L'enfant qui mord a besoin d'apprendre à exprimer sa colère d'une manière acceptable. Ce n'est pas en le mordant que l'adulte lui fera faire cet apprentissage, puisque l'enfant apprend par imitation, ni en le faisant mordre dans un citron ! Voilà une belle façon de rendre désagréable un des plaisirs de la vie ! Interdire fermement ne suffit pas. L'enfant comprend que l'adulte désapprouve le geste, mais il ne sait pas comment canaliser cette énergie.

Le parent ou l'éducatrice doit amener l'enfant à exprimer sa colère en lui offrant un modèle verbal concret, c'est-à-dire adapté à sa réalité. À plusieurs occasions, j'ai observé un enfant qui répondait à l'invitation de l'éducatrice à le « dire avec des mots ». La scène est cocasse : l'enfant se dirige d'un pas décidé, les sourcils froncés, vers l'ami qui a réveillé sa colère et lui décroche un regard foudroyant en hurlant des « mots ». C'est un pas dans le bon sens, mais il est également important de décoder le besoin ou l'émotion de l'enfant et de l'accompagner d'une façon immédiate et concrète. L'adulte doit aider l'enfant à s'exprimer. Dans un cas de conflit de possession, qui génère des frustrations pouvant se solder par une morsure, il peut lui proposer : « Viens, je vais aller avec toi pour t'aider à dire à ton ami que tu n'aimes pas qu'il t'enlève ton jouet ou que tu veux le jouet. Dis-lui " À moi, donne " ou simplement " non ". » Les félicitations encouragent l'enfant : « Bravo, tu as été capable de lui dire. »

Des « mordées » pour défouler

La difficulté à tolérer un délai ou la proximité physique peuvent aussi déclencher une attaque du crocodile. Dans un groupe d'enfants qui patientent les un près des autres, la « mordée » témoigne du besoin de décharger une tension. C'est en meublant les périodes d'attente, en diminuant les occasions de proximité physique telles que les rassemblements en cercle, les activités en grand groupe ou le petit train les uns derrière les autres que l'éducatrice réduira les risques de morsure. Des activités telles que jouer dehors, dans l'eau, avec la pâte à modeler, bouger, glisser ou danser permettent aux enfants de se dépenser physiquement et de diminuer les tensions reliées au partage d'un même territoire. Certains enfants manifestent de l'irritabilité lorsqu'ils doivent tolérer la présence rapprochée de l'autre ou ses touchers amicaux. Ils mordent pour éloigner l'intrus qui est entré dans leur territoire. Les éducatrices doivent reconnaître et respecter leur besoin d'intimité en aménageant un espace réservé à un seul enfant.

Les morsures peuvent aussi exprimer les tensions que vit l'enfant à la maison. La naissance d'une petite sœur ou d'un petit frère, le déménagement, le départ du père ou de la mère pour un voyage d'affaires, l'hospitalisation d'un parent, le décès d'un proche ou des tensions conjugales peuvent être des sources de stress. L'enfant de 4 ans pourra réagir par des comportements régressifs, en revenant à un mode d'expression plus primitif: la morsure. Il faut désigner par des mots le malaise ou l'inquiétude de l'enfant. Il se sentira compris et soutenu dans cette période difficile et il entendra les mots à dire pour exprimer sa peine ou sa colère.

À la recherche du crocodile

Je me souviens très bien d'Antoine, le papa d'Éloïse, debout dans mon bureau à la garderie, me sommant de lui révéler le nom du coupable. Quel enfant du groupe des petits trotteurs de 18 mois avait si sauvagement mordu sa petite Éloïse? Cette dernière tenait la main de son papa et, impressionnée par sa grosse voix, fixait la scène de ses yeux ronds. J'ai alors opté pour la même discrétion que l'éducatrice des trotteurs. Il faut éviter, en effet, les tensions entre les parents des agresseurs et des victimes. De plus, celui qu'on a étiqueté comme «crocodile» peut traîner avec lui une réputation d'enfant agressif. Ce n'est sûrement pas avec cette étiquette négative qu'il se construira une identité propice au développement des habiletés langagières et sociales.

J'ai déjà été témoin de scènes disgracieuses entre parents de mordeurs et parents de mordus. Les premiers sont parfois la cible de reproches ou de blâmes alors qu'ils se sentent eux-mêmes impuissants face au comportement de leur enfant. J'ai vu aussi des crocodiles verser de grosses larmes lorsque les parents de leur victime les réprimandaient au sujet d'une morsure du matin, déjà enfouie bien loin dans leur mémoire d'enfant en action.

Le papa d'Éloïse avait besoin qu'on le rassure, qu'on l'informe sur les moyens utilisés pour faire cesser les morsures, mais aussi sur les limites de ces interventions. Je ne pouvais pas lui garantir que sa fille ne serait plus jamais mordue : dans un groupe de huit enfants en mouvement, tout ne peut pas être parfaitement contrôlé. Cependant, la description des mesures mises en place de même que l'écoute et le respect de ses réactions ont su apaiser les inquiétudes de ce papa. Tous les parents souhaitent protéger leur enfant des blessures et des écorchures de la vie. Dans une garderie, protéger, c'est offrir un milieu sécurisant, c'est être sensible aux besoins et aux sentiments des petits. En observant l'enfant, ses relations avec les pairs, son environnement physique et ses réactions, on peut décoder ce qu'il exprime avec ses dents. Face au petit crocodile, l'éducatrice devient une fée des dents. Dans un monde d'enfants où pulsions, frustrations et conflits parsèment le quotidien, elle transforme la dent pointue en mots.

Au secours, mon poussin se fait déplumer!

▼

Comme nous nous sentons désarmés lorsque nous remarquons que notre enfant s'est fait mordre, pincer ou pousser par un copain de la garderie! Que la vie en groupe nous semble cruelle! Et quelle est notre colère lorsque cette situation se répète! En tant que parents, nous nous sentons impuissants et, parfois, révoltés face à l'agressivité des petits camarades de notre enfant. Après tout, nous le confions à un milieu de garde qui partage avec nous les valeurs de paix, de non-violence et de respect de soi et de l'autre. Comment se fait-il que notre enfant soit victime de ces gestes brutaux que nous condamnons énergiquement à la maison?

La première chose à faire, c'est de parler de nos inquiétudes à la responsable du groupe. Elle pourra replacer les gestes dans leur contexte situationnel ou même développemental. Par exemple, elle dédramatisera les morsures dans un groupe de trottineurs (1 à 2 ans) ou expliquera pourquoi une dispute pour un jouet s'est soldée par des coups dans un groupe de 3 à 4 ans. Cela vous rassurera aussi de savoir qu'elle est consciente de la difficulté de l'enfant qui agresse et que les éducateurs font des efforts pour que celui-ci développe ses habiletés sociales. Il faut savoir qu'une telle démarche nécessite un certain temps dont les intervenants profitent d'ailleurs pour observer les progrès de l'enfant.

D'autre part, si vous désirez aider votre enfant à se défendre ou à être autonome en dehors de votre famille, vous pourrez lui proposer des solutions faciles et socialement acceptables pour y parvenir.

C'est tout un apprentissage que de se faire respecter. Ainsi, si on propose à l'enfant de se défendre ou de se battre, alors qu'il n'a pas encore appris à gérer ce type de conflit, il risque d'être en plein désarroi : il se sentira incompris et démuni devant les problèmes parce qu'il n'aura pas les outils nécessaires pour les régler. Il sera aussi perdu, voire en colère, si l'éducatrice exprime son désaccord quand il essaiera d'appliquer le conseil (« Défends-toi ! ») que vous lui aurez donné.

DES CONSEILS POUR AIDER VOTRE POUSSIN À SE REMPLUMER

- Soyez à l'écoute et exprimez pour lui ce qu'il ressent. Il se sentira compris.

- Encouragez-le à trouver des solutions aux conflits et proposez-lui des outils.

  Face aux injures :

  « Qu'aurais-tu pu répondre ? »

  Proposez des joutes verbales ou utilisez des plaisanteries comme modèles de répliques. L'humour dédramatise la situation et détend l'enfant.

  Face aux chicanes pour un objet :

  « Qu'aurais-tu pu répondre lorsque ton ami s'est mis à crier pour avoir l'auto ? Et quand il t'a frappé ? »

Proposez-lui de faire un échange, de faire Ma petite vache a mal aux pattes par exemple ou, en particulier pour les petits, de demander à l'éducatrice de l'aider à trouver une solution.

Face aux chicanes de « territoire » :

Quand ils arrivent à la garderie, certains enfants découvrent pour la première fois la proximité physique avec d'autres enfants, le partage de jouets et le partage de l'adulte. Ils ont besoin d'une période d'adaptation pour s'habituer progressivement à cette réalité. Ces enfants ont du mal à exprimer leur besoin d'espace et réagissent de façon brusque lorsqu'un pair s'approche d'eux à un moment où ils ont besoin de solitude. Votre enfant peut, sans le savoir, avoir ainsi dérangé le petit solitaire. Si vous lui apprenez à demander à son ami s'il peut se joindre à lui, cela lui évitera des coups et le sensibilisera à l'art d'entrer en contact tout en développant son empathie.

• Encouragez votre enfant à exprimer ses émotions ou son mécontentement à l'agresseur ; par exemple, « J'aime pas ça quand tu me frappes, ça me fait mal. Je suis fâché. »

Vous pouvez verbaliser pour lui et l'inviter à s'exprimer. S'il est plus jeune, « Non » ou « Non, j'ai pas le goût » suffit.

• Sensibilisez votre enfant au fait que son ami ne sait pas encore comment dire des choses avec des mots, mais qu'il est en train d'apprendre. Si vous blâmez l'agresseur, vous n'encouragerez pas votre enfant à utiliser des approches acceptables envers lui. En effet, les parents servent de modèles aux enfants, qui imitent leurs compétences sociales. Souvent, les enfants agressent parce qu'ils souffrent. Ils peuvent en vouloir à un autre enfant parce que celui-ci paraît accepté par le groupe, plus heureux ou plus aimé que lui.

On comprendra que le fait de traiter l'enfant agresseur de «méchant», de «petit monstre» ou d'«enfant à bannir du milieu» ne fait que cristalliser son sentiment de rejet. Car les paroles que les enfants disent et entendent ne font pas que virevolter comme un vent d'automne : elles pénètrent l'enfant et construisent l'image qu'il se fait de l'autre. L'enfant agresseur risque alors de se faire rejeter par le groupe, qui peut aller jusqu'à décider de l'isoler davantage. Cet isolement et ce rejet nourriront l'image négative qu'il a de lui-même et gonfleront sa colère envers les autres. Nous sommes bien loin d'une solution !

- Expliquez à votre enfant le rôle de l'éducatrice. Celle-ci est au service des enfants. Si l'un d'entre eux se sent démuni face aux autres, il peut avoir recours à l'éducatrice. Les éducatrices ont la formation nécessaire pour accueillir les émotions des enfants et aider les tout-petits dans leur apprentissage des compétences et de la réalité sociales.

- Montrez à votre enfant que vous avez confiance en lui. Vous savez qu'il est capable d'exprimer son mécontentement, sa tristesse, sa colère de même que son besoin d'être consolé et aidé.

Comme vous, les éducatrices désirent vivre en harmonie avec les enfants et leur faire vivre des expériences sociales positives. L'harmonie du groupe et le bien-être des enfants leur tiennent à cœur. Dans les groupes, chaque enfant est unique et a des besoins particuliers. Répondre à ces besoins quotidiennement dans le respect de l'individualité et la recherche de l'harmonie du groupe représente un défi constant. L'arrivée d'un nouvel enfant dans le groupe, la réaction de l'enfant à la séparation de ses parents ou à la mort d'un proche, les changements organisationnels, la reprise ou l'arrêt du travail d'un parent, tout cela peut ébranler ce fragile équilibre. C'est en parlant à l'éducatrice de votre enfant que vous en apprendrez plus sur la vie sociale en garderie : celle-ci est intense et parsemée de joies, d'amitiés et d'embûches relationnelles.

Une fois que vous aurez en main toutes les données de la situation, vous pourrez mieux accompagner votre enfant dans son exploration de la vie sociale. Ainsi, votre petit poussin déplumé pourra grandir et, un jour, devenir un oiseau prêt à prendre son envol.

LES PETITS RAPPORTEURS

▼

Le petit Jean-Christophe se tient debout à l'entrée du vestiaire. Il attend que son groupe ait terminé de se déshabiller pour se rendre dans sa salle. Tout à coup, il s'exclame : « Carmen, Carmen, Jonathan a poussé Sébastien ! »

Cette scène vous semble sûrement familière. Selon son tempérament, Carmen, l'éducatrice, encouragera le « cafardage » ou stimulera la solidarité et l'autonomie chez Jean-Christophe et son groupe.

Lorsqu'on parle de rapporteurs ou de « porte-panier », il faut exclure les enfants qui rapportent quand un autre est en danger. Il s'agit alors d'un geste motivé par le désir de protéger l'autre. Cette situation se présente très rarement, puisqu'il existe dans les garderies des mesures de sécurité destinées à éliminer les sources d'accidents. Les « porte-panier » sont plutôt ceux qui « mouchardent » pour faire gronder un de leurs camarades.

Qui sont les rapporteurs ?

Qu'est-ce qui pousse les enfants à rapporter ? D'abord, certains ressentent de l'inquiétude devant la transgression d'une règle. Cette insécurité surgit principalement chez les enfants qui doivent s'adapter à la vie de garderie ou de groupe. Le rôle de l'éducatrice consiste à aider l'enfant à se conduire de façon autonome. « C'est vrai, c'est défendu. Tu le sais, bravo ! » En disant cela, l'éducatrice réaffirme la règle et fait remarquer à l'enfant qu'il la connaît et la respecte : c'est ce qui compte pour lui.

D'autres enfants cherchent à devenir des alliés de l'adulte. La réaction de l'adulte est alors déterminante. Si l'éducatrice s'approche de l'enfant qui rapporte, l'écoute attentivement, lui sourit, lui offre une marque d'affection tout en grondant le contrevenant à la règle, on peut s'interroger sur le besoin qu'elle a de recevoir appui ou affection. Ce besoin est légitime, mais ne doit pas être comblé par les enfants. De plus, cette attitude de collaboration avec le rapporteur génère jalousie et compétition dans le groupe. Si l'enchaînement délation-affection-punition se produit fréquemment, l'enfant qui rapporte risque d'être rejeté par ses pairs.

Ne pas encourager le rapportage

Comment l'éducatrice peut-elle faire perdre à l'enfant l'habitude de rapporter ? En premier lieu, il faut se rappeler que l'adulte sert de modèle. L'éducatrice évite donc d'utiliser le « Je le dirai à… » et n'expose pas au groupe l'enfant en faute. De plus, si elle n'a pas été témoin de l'action rapportée, son attitude dépendra des conséquences éventuelles de l'action. Si celle-ci est sans conséquence, elle peut répondre : « Je n'aime pas qu'on s'occupe de son voisin. Chacun est son propre gardien. » En cas de danger potentiel, elle pourra ajouter : « Il a eu de la chance qu'il ne lui soit rien arrivé. » En effet, les interdictions sont basées sur la sécurité.

Si l'action a des conséquences (le plancher est immergé, par exemple), l'éducatrice invite le coupable à se dénoncer : « Je demande à celui qui l'a fait de le dire et aux autres de ne rien dire. » Le coupable assumera la conséquence de son geste en réparant la faute sans se faire punir. Si tout le groupe reste muet, tous sont invités à réparer, et l'éducatrice manifestera son contentement devant un groupe sans « porte-panier ». Elle développe ainsi l'entraide et le sens des responsabilités.

En ce qui concerne les enfants qui rapportent un méfait dont ils sont victimes, l'éducatrice les console et exprime sa peine sans dire de mal de l'auteur du méfait. Elle invite ce dernier à réparer les dégâts s'il y a lieu. Dans tous les cas, l'éducatrice peut demander à un rapporteur pourquoi il a dénoncé l'action d'un autre enfant. Cette question permet à l'enfant d'examiner son besoin réel et à l'éducatrice d'y répondre. Écouter les mouchards et donner suite à leurs propos n'est certes pas la bonne façon de montrer aux enfants comment interagir entre eux. S'il existe des « porte-panier », c'est parce que des adultes grondent les enfants qui ont été dénoncés. Comme l'a dit Françoise Dolto, « ce qu'il faut empêcher, c'est la vilénie d'un rapportage destiné à faire gronder* ». Et elle ajoute ailleurs qu'il faut « laisser ceux qui font mal quand maman n'est pas là se débrouiller tout seuls avec leur conscience** ». N'est-il pas enthousiasmant d'entendre les enfants se parler directement des vraies choses et de voir se développer leur autonomie et leurs habiletés sociales ? Les aider à y parvenir, voilà notre rôle et notre satisfaction.

---

*DOLTO, Françoise. *Lorsque l'enfant paraît, tome 3*. Paris : Seuil, 1978.

**DOLTO, Françoise. *Les chemins de l'éducation*. Paris : Gallimard, 1994.

Est-ce de la timidité?

▼

D'où vient la timidité de Marie-Josée?

Marie-Josée et ses parents rendent visite à grand-maman. Dans l'entrée de la maison, la parenté échange embrassades et salutations joyeuses. Marie-Josée se dissimule derrière maman, baisse le yeux et rougit dès que les hôtes et leurs invités s'adressent à elle. «Bonjour Marie-Josée, viens voir grand-maman», dit grand-mère. «Comme elle a grandi!» s'exclame tante Lucie. «Elle ressemble à son père, les mêmes yeux», déclare fièrement grand-père. Marie-Josée ne dit rien, relève les yeux et suit à distance. Elle observe tout ce monde, au milieu du tintamarre verbal. «Elle est timide», explique la maman. Peu à peu et tout doucement, Marie-Josée s'installe, joue, rit et, discrètement, prend part à cet univers social.

S'agit-il vraiment de timidité?

On définit la timidité comme «une difficulté excessive à établir et à maintenir des relations sociales*». Les silences sont

---

* FINCH et HOPS, cité dans l'article de H. ROUSSEAU. «L'inhibition: un langage silencieux à reconnaître». *PRISME* 1991 1 (4): 37.

aussi éloquents lorsqu'ils ponctuent le langage que lorsqu'ils enveloppent une mélodie. Ils peuvent inquiéter l'adulte, qui ressent dans ce vide verbal une rupture de liens ou une difficulté chez l'enfant.

Marie-Josée doit d'abord apprivoiser le monde social qui se présente à elle et imaginer comment elle peut s'y joindre. Lorsqu'elle fait face à la nouveauté, elle se retire et observe passivement. Elle a besoin de temps pour s'adapter. À la garderie, son adaptation a été plus lente que pour les amis de son groupe de 4 ans. Maintenant qu'elle connaît les lieux, son éducatrice, ses amis et les routines, elle s'intègre à l'occasion aux jeux de groupe, elle fait des demandes et les autres enfants vont vers elle. Elle préfère jouer seule, mais se montre tout de même capable d'interactions sociales avec l'adulte et les enfants de son âge.

Respecter la personnalité de l'enfant

Dès sa naissance, l'enfant possède sa propre individualité. Ainsi, le poupon démontre sa façon bien personnelle de s'alimenter, de s'endormir et de réagir. Certains enfants sont prévisibles et d'autres ont l'humeur plus instable. Certains s'adaptent rapidement à un changement alors que d'autres réagissent par des pleurs ou de l'agitation. Il s'agit là de traits de caractère qui forment le tempérament. Ce style émotionnel et comportemental reste stable dans le temps. Marie-Josée est sensible à la nouveauté et son rythme d'adaptation est lent. Elle développe des stratégies d'adaptation après s'être retirée et avoir eu l'occasion de se rassurer.

À quel âge peut-on parler de timidité ?

On ne peut parler de timidité qu'à partir de 2 ou 3 ans. L'enfant prend progressivement conscience de l'effet qu'il produit sur les autres. Il s'est affranchi de la peur des étrangers, qui apparaît entre 8 et 12 mois. Vers sa deuxième année, il a su multiplier les figures d'attachement et créer des liens en dehors de sa cellule familiale.

Vers 2 ou 3 ans, le petit est capable de faire le lien entre ce qu'il dit, ce qu'il fait et la réaction des autres. S'il est maladroit dans sa façon d'entrer en contact, il constate son insuccès et peut choisir par la suite de ne plus tenter de rapprochements. Je me souviens de la petite Élodie, discrète, délicate et très sensible, qui s'approchait toujours silencieusement des groupes d'enfants. Elle restait là, debout, passive, les yeux brillants du désir de partager le coin des poupées. Elle avait besoin d'un adulte pour l'accompagner dans l'expression de ce désir. « Viens, ensemble on va demander à Andréane si on peut jouer avec elle. » Jean-Christophe, quant à lui, avait des stratégies très directes et énergiques qui lui ont attiré le rejet des autres enfants et les reproches des adultes. Il s'immisçait dans le jeu en poussant les autres et en prenant possession de leurs jouets.

La difficulté persistante qu'un enfant éprouve à entrer en contact peut l'amener à s'isoler si les conséquences de ses maladresses sociales le dévalorisent.

Lorsque la timidité épouse la passivité

Lorsque la timidité s'accompagne de passivité et de dépendance excessive à l'adulte, elle peut ralentir les apprentissages sociaux et intellectuels de l'enfant. L'enfant explore peu son environnement et ne se montre pas curieux face au monde extérieur. Il ne prend pas d'initiative, il hésite à entreprendre une activité. Sa recherche de la présence rassurante de l'adulte le pousse à imiter ce dernier de façon rigide et nuit à la création de sa propre identité. Ce besoin constant de la proximité de l'adulte le limite dans sa découverte de l'univers social enfantin et le restreint dans l'exploration du monde extérieur à la famille.

Il s'agit en fait d'un blocage émotionnel qui fait souffrir l'enfant, car celui-ci est paralysé soit par la peur de la séparation du parent surprotecteur, soit par la crainte de déplaire au parent, ce modèle parfait et si difficile à imiter. Cet enfant inquiète parce qu'il se tient en marge du groupe à la garderie et son inhibition nuit à son développement.

Importance des relations sociales

Bien qu'elle choisisse souvent de jouer seule, Marie-Josée est capable de créer des liens avec les autres. Elle se montre discrète et silencieuse parce qu'elle a besoin de temps pour se familiariser avec eux. Les interactions avec les autres enfants lui permettent de confirmer son identité sexuelle (elle préfère jouer avec les filles), de même que ses goûts et ses intérêts. Elle développe des compétences sociales et exerce son raisonnement avec ses petites amies, par comparaison ou par le choc des idées. Son langage est stimulé par les échanges verbaux qui soutiennent le jeu. En créant des liens avec d'autres enfants, elle se distance de ses parents et développe son autonomie affective.

L'enfant qui joue avec les autres, même si ce n'est que par épisodes, lorsqu'il est saturé de ses jeux solitaires, se construit une image positive de lui-même. Il se sent accepté et aimé.

Soutenir l'enfant timide

L'enfant timide a besoin d'être sécurisé et de prendre confiance en lui. Les relations sociales ne se forcent pas, elles s'apprivoisent et s'apprennent dans le plaisir et la détente. À la garderie, si l'éducatrice harcèle l'enfant pour qu'il se joigne au groupe, elle risque de le gêner davantage et d'augmenter la tension qu'il vit. L'enfant acceptera peut-être de participer à une activité non compétitive à deux joueurs. L'adulte peut alors féliciter l'enfant pour sa participation volontaire et souligner son plaisir ainsi que la bonne entente qui règne.

Le silence de l'enfant isolé, qui n'ose prendre sa place au sein d'un groupe, dénote un besoin d'être valorisé, d'être reconnu comme un être social unique et digne d'être aimé. C'est un chemin vers l'affirmation de soi, à parcourir à petits pas. Pour faire le tout premier pas, le parent propose des choix à l'enfant, des choix qui témoignent de ses goûts, de ses intérêts. « Ah ! Tu aimes le bleu, c'est bien, c'est ton goût ! » Pour le deuxième pas, l'adulte reconnaîtra un beau geste, une belle idée. L'éducatrice qui s'asseoit près de l'enfant dessine une fleur comme lui et lui dit « J'aime ce que tu fais, c'est intéressant ». D'ailleurs, ce rapprochement est vite remarqué dans le groupe qui, peu à peu, découvre cet ami jusque-là ignoré.

Pour apprendre à s'affirmer, l'enfant a besoin, avant tout, d'être valorisé et de sentir que l'on considère comme important ce qu'il veut, ce qu'il pense et ce qu'il ressent.

Une des stratégies les plus efficaces consiste à inviter un ami à la maison. L'enfant timide est chez lui et il connaît bien son environnement physique et humain. Le parent amorce le jeu, puis se retire. Il exprime sa confiance aux enfants : « Vous êtes capables de bien vous amuser », « Je suis contente de te voir jouer avec ton ami », « Tu es grand maintenant, tu sais jouer sans un adulte. Bravo. » Le parent qui manifeste ainsi sa confiance dans les possibilités de son enfant lui donne un élan vers l'autonomie. Il exprime clairement un message qui valorise le fait de grandir. Il autorise les liens extrafamiliaux et sécurise l'enfant face à la continuité de l'amour familial. Lorsque la petite fille ou le petit garçon timide est maladroit dans ses contacts avec les autres enfants, le parent peut lui apprendre à demander et à partager. Il le félicitera de ses efforts.

Pour sécuriser l'enfant lors des visites familiales ou sociales, le parent peut le préparer en lui disant à l'avance qui sera présent et comment se déroulera la soirée. L'aviser du fait qu'il pourra jouer, que lorsqu'il aura terminé son repas il regardera des dessins animés à la télé, etc. En arrivant chez les hôtes, il est possible qu'il reste silencieux et distant. Si maman ou papa le décode bien et le respecte dans son rythme, la hantise des rencontres disparaîtra progressivement. « Julien, il y aura beaucoup de monde. Je sais que ça te fait un peu peur, mais tu prendras le temps qu'il faut pour t'habituer. »

Combien de fois avons-nous subi des attroupements familiaux accompagnés de pincettes de joues, des bisous de tantes éloignées avec ordre express de nos parents de les embrasser, de leur dire bonjour malgré notre malaise face à ces personnes que l'on connaissait plus ou moins. Il y a différentes façons de se saluer et une seule règle les commande, le respect. Si l'enfant penche la tête, sourit ou salue de la main, il faut accepter sa façon à lui d'agir. Si on l'encourage et si on reconnaît ses efforts, il apprendra, peu à peu, à dire poliment : « Bonjour, comment allez-vous ? »

En gardant une attitude détendue lors des rencontres sociales, le parent transmet les notions de plaisir, de partage et d'amour qui motivent notre désir de rencontrer les autres.

LES GROS MOTS

▼

Les paroles de nos petits amours ne manquent pas, à l'occasion, de nous mettre mal à l'aise. Comment réagir face aux gros mots des tout-petits ?

Bruno, 4 ans, est en train de s'amuser avec ses amis dans la cour de la garderie. Au milieu de ses jeux, il pousse Étienne, qui se met à pleurer. Je m'approche pour consoler Étienne et réprimander Bruno. Contrarié, ce dernier me crie : « Va-t-en, grosse vache ! »

La violence verbale des tout-petits

Avec l'acquisition du langage, les cris, les coups et les morsures des petits de 2 et 3 ans se transforment en agressivité verbale. Les enfants de 4 et 5 ans grimacent de colère, font des remarques désobligeantes et parfois insultent. On observe cette émergence de l'agressivité verbale autant chez les filles que chez les garçons. La majorité d'entre eux expriment leur indignation sans intention de dominer l'autre. Rares sont les enfants d'âge préscolaire qui tentent d'intimider leurs amis en proférant des menaces de représailles si ces derniers ne se soumettent pas à leurs désirs. L'injure sert de défoulement ou encore à faire réagir, et les gestes réellement hostiles sont peu fréquents à cet âge.

Des mots qui parlent de maux

L'enfant dit des mots qui défoulent, et la colère ainsi exprimée doit être respectée. Cependant, il doit apprendre que certaines paroles peuvent blesser. L'adulte doit permettre à la colère d'exister et proposer d'autres façons de s'affirmer : « Bruno, tu es fâché contre moi. Tu veux que je parte maintenant. Tu peux me dire : " J'aime pas ça quand tu me disputes. " Ne t'inquiète pas, même si je n'accepte pas que tu frappes Étienne, je continue de t'aimer. »

Les paroles de l'adulte soulagent l'enfant et apaisent le sentiment de culpabilité. Le parent en colère à la suite d'injures proférées par son enfant doit faire connaître son sentiment à ce dernier : « Non, je n'accepte pas que tu me parles ainsi. Je suis fâché. Je comprends que tu sois en colère, mais je veux que tu me le dises autrement. »

L'humour peut devenir une arme efficace. Vincent, 4 ans, lance à son éducateur : « Juan, tu es dégueulasse. » Juan interroge Vincent : « Montre-moi ce que c'est, dégueulasse. À quoi cela ressemble-t-il ? Je ne connais pas ça, moi. Est-ce que c'est un animal ? » Ils partent tous les deux à la recherche du « dégueulasse ». Surpris, l'enfant participe aux recherches de cet objet mystérieux. Il a répété ce mot sans en connaître le sens. Il y a aussi les mots « pipi », « caca » et « fesses » qui font rire les amis, surtout si l'adulte interdit fermement que l'enfant les prononce.

Les gros mots ne parlent pas que de colère, ils expriment parfois le besoin d'être reconnu. Au cours d'une visite dans un groupe de 3 ans, Steven me lance : « Eh ! toi, viens asseoir ton gros derrière ici ! » en ponctuant sa phrase d'un sacre. En m'invitant de la sorte, il observe la réaction de ses deux amis qui rigolent et celle de l'éducatrice qui blêmit. Je le dévisage pour lui faire comprendre que j'ai entendu son message et je choisis de ne pas en tenir compte. Il réitère hardiment sa demande avec un petit sourire complice à ses voisins de table. Je me joins à un autre groupe. Il crie : « Viens-tu jouer avec nous ? » Je lui réponds aussitôt : « Avec plaisir ! Quand tu me parles ainsi, j'ai le goût de t'écouter. Quand tu veux qu'un adulte s'occupe de toi, tu peux lui demander. C'est vraiment un bon moyen. »

Steven quête l'attention de l'adulte en tentant de le faire réagir. Il obtient alors une attention teintée de reproches. Il a besoin d'apprendre qu'il est possible de recevoir de la part de l'adulte des encouragements, du réconfort, des marques d'affection et, surtout, qu'il est digne d'obtenir tout cela.

Les gros mots qui dénigrent l'autre parlent aussi du besoin d'être reconnu et valorisé. Marielle regarde la belle robe de Juliette et émet son opinion. « Elle n'est même pas belle, ta robe. » Ces commentaires reviennent régulièrement : « Il n'est même pas beau, ton dessin. Tu es un bébé lala. » Marielle se compare désavantageusement aux enfants de son groupe. Elle a besoin qu'on nomme ses forces et ses qualités pour l'amener à la comparaison joyeuse, celle qui se construit sur une bonne estime de soi.

Toute vérité n'est pas bonne à dire

Émilie accompagne sa maman au magasin et dit : « Regarde, maman, le monsieur a perdu tous ses cheveux. » Le monsieur fronce les sourcils, la maman rougit. L'enfant ne connaît pas la portée de ses mots prononcés si naïvement. Il doit être sensibilisé aux émotions de l'autre. « Tu as raison, Émilie. Cet homme n'a pas de cheveux, il est chauve. Mais il ne faut pas le dire tout haut, ça peut lui faire de la peine. Tu pourras m'en parler quand nous serons seules. »

S'affirmer dans le respect

Vous pouvez être fiers de votre enfant qui est maintenant capable de s'exprimer verbalement au lieu d'utiliser ses poings ou ses dents. Grâce à la parole, la lutte contre la violence est possible. Toutefois, n'oublions pas qu'il existe des formes insidieuses de violence qui s'amorcent avec des mots qui blessent et qui aboutissent à des gestes violents marquant toute une vie. Pensons à l'intimidation en milieu scolaire ou encore à la violence conjugale. Ne sous-estimons pas le pouvoir des mots. Apprenons à nos tout-petits à s'affirmer et à prendre conscience de l'impact des mots afin qu'ils se sentent peu à peu conscients et responsables des paroles qui font de la peine.

DES PETITS À PROTÉGER

▼

ATTENTION, ENFANTS SOUS TENSION

▼

La plupart des parents souhaitent préparer leur enfant à l'école. Mais un piège les attend : la scolarisation précoce. Loin de la stimulation qui éveille la curiosité intellectuelle des petits, la scolarisation précoce tient plutôt du gavage intellectuel.

Lorianne, 3 ans, joue dans la cour de la garderie. Elle poursuit son cerceau en mouvement. Gabriel, 5 ans, se met à courir à côté d'elle et rattrape le cerceau avant elle. Lorianne éclate en sanglots, crie, puis se jette par terre. Pour la consoler, son éducatrice lui parle des grandes jambes de 5 ans de Gabriel et de ses jambes de 3 ans plus petites mais si rapides. Rien n'y fait.

Plus tard, autre crise de larmes. Lorianne doit classer par ordre de grandeur les cinq souris qui sont sur sa feuille, mais elle n'y parvient pas. Ensuite, elle dessine un soleil et tente d'écrire son nom dessous. Déçue par le résultat, elle se fâche, lance les crayons, déchire la feuille et la jette à la poubelle.

Lorianne n'apprécie pas les nouveautés proposées par son éducatrice. Elle veut toujours refaire les mêmes casse-tête, qu'elle reconstruit avec habileté et rapidité. Elle a toujours fini avant les autres. Très préoccupée par la performance, elle préfère s'abstenir devant un nouveau jeu ou une nouvelle activité, de peur de ne pas réussir. Elle est paralysée face aux activités de création présentées sans exemple à suivre et elle a du mal à laisser libre cours à son imagination. Durant les activités plus scolaires ou une autre activité où on lui demande une bonne réponse, elle devient tendue.

Dans l'espoir que sa fille réussisse mieux, la maman de Lorianne lui a acheté les petits cahiers utilisés dans son milieu de garde et elle la fait s'exercer à la maison. Elle lui montre comment écrire son nom, lui demande de « se forcer ». Elle ne comprend pas les dessins de sa fille et l'encourage à en refaire à la maison. Lorianne est comme une petite fleur blessée : on tire sur sa tige pour qu'elle grandisse plus vite. Mais en brusquant son rythme de développement, on place l'enfant dans une situation de stress.

Le gavage intellectuel

L'enfant d'âge préscolaire apprend en explorant le monde par ses sens et par l'intermédiaire du jeu. En lui imposant certains apprentissages trop tôt, on lui enlève une partie du temps qui devrait être consacré aux découvertes, aux manipulations et au développement de l'imaginaire. En effet, lorsque l'enfant est dans une situation où on attend de lui un certain rendement, où il doit produire la bonne réponse, il ressent un stress car il craint de faire des erreurs. L'apprentissage est pénible et artificiel puisqu'il ne respecte pas son rythme de développement intellectuel.

Les échecs répétés diminuent la confiance en soi et peuvent avoir un effet négatif sur sa curiosité intellectuelle : l'enfant perd la motivation à apprendre et à relever des défis. Par conséquent, loin d'en sortir outillé pour sa vie scolaire, il risque d'éprouver une saturation, un blocage face aux apprentissages scolaires ultérieurs.

Pourquoi exiger tant d'efforts et générer des tensions inutiles alors que, par le jeu et le plaisir qu'il en retire, l'enfant fait des apprentissages à la fois extraordinaires et durables ?

Pour le bien de l'enfant

Le jeu doit être au centre des apprentissages de l'enfant. Celui-ci devient le maître d'œuvre de ses découvertes, l'artisan de son développement. L'éducatrice, quant à elle, favorise l'apprentissage actif grâce à un environnement stimulant. Cette approche non directive est guidée par le respect du rythme, de la personnalité et des champs d'intérêt de l'enfant. Alors que cette pédagogie ouverte, centrée sur le processus de développement, est généralement favorisée dans les garderies, on observe une tendance contraire au sein des familles ainsi que dans certains milieux de garde : l'enfant doit produire et acquérir certaines habiletés pour « réussir ». Pour former un enfant « compétent », on lui impose dès l'âge de 3 ans des cours de lecture et d'écriture, des ateliers de pré-calcul ou d'anglais. Non seulement cherche-t-on ainsi à développer le plus possible les capacités intellectuelles de l'enfant, mais on tente aussi quelquefois d'accélérer son développement psychomoteur en l'inscrivant à des cours de gymnastique.

Certains enfants, qui fréquentent les milieux de garde du lundi au vendredi, sont encouragés la fin de semaine à se perfectionner encore. Submergés de livres et de jeux éducatifs créés pour les enfants d'âge scolaire, ils ont une vie très organisée, un horaire chargé et des activités structurées : cours de karaté, de natation, de hockey, de ski, de patinage, de musique, de danse. Ces « superenfants » ont des loisirs centrés sur des apprentissages très encadrés. Aussi en viennent-ils à ne plus savoir ou pouvoir jouer librement dans la fantaisie de leur pensée magique. Ils ont besoin qu'on organise leur emploi du temps.

Le culte de la performance

Cette course à la performance, si omniprésente aux États-Unis, existe aussi au Québec. J'ai observé que, dans quelques milieux de garde, des plages horaires quotidiennes sont réservées à des exercices de type scolaire. Assis à un bureau, les enfants remplissent leur petit cahier en suivant les directives des éducatrices pour bien réussir les objectifs de pré-écriture, de pré-lecture, de pré-calcul. Pour acquérir les concepts de grandeur, de longueur, de formes, de quantités et de couleurs, ils doivent classer, comparer et évaluer des éléments. Si ces milieux de garde ont orienté leur programme éducatif dans cette direction, c'est à la demande des parents qui insistent pour que leurs enfants apprennent tôt et se distinguent des enfants de leur âge.

Le désir des parents d'offrir à leur enfant un environnement stimulant de manière à favoriser son développement est louable en soi. Mais s'agit-il de stimulation ou de surstimulation ? Et d'où vient cet engouement pour les apprentissages dirigés ?

De récentes découvertes en neurosciences démontrent de façon irréfutable que les trois premières années de vie construisent les capacités d'adaptation de l'individu et ont un effet décisif sur sa faculté à apprendre. En effet, le cerveau se développe à une vitesse extraordinaire durant la grossesse et la petite enfance. Par conséquent, les enfants ayant vécu de mauvaises expériences ou subi de la négligence ou de la violence durant la petite enfance risquent d'avoir par la suite des problèmes d'apprentissage, de comportement ainsi que des problèmes émotionnels et physiques.

Toutefois, les résultats de ces recherches ont été mal interprétés et ont donné naissance à des excès. Pensons au *Better Baby Institute* du Dr Doman où, dès le berceau, on soumet les enfants à un flot d'informations rapides portant sur des sujets allant de la peinture à l'algèbre en passant par l'histoire, les langues ou les religions. On ne peut nier que cette période est déterminante puisque le cerveau se développe très rapidement; mais ce qu'il faut retenir des découvertes scientifiques est simple: la stimulation sensorielle, les soins, l'affection et la nutrition ont une incidence sur la capacité d'apprentissage, le comportement et la santé de l'enfant.

La tendance à pousser les enfants à faire des apprentissages scolaires peut aussi traduire la quête de réalisation personnelle des parents. L'enfant est investi d'une mission: prolonger les désirs parentaux. Pour ce faire, l'enfant réel doit se conformer à l'enfant rêvé et se distinguer par son intelligence et par l'étendue de ses connaissances. L'enfant voit que ses parents l'aiment et sont fiers de lui quand il a de bons résultats dans telle ou telle discipline.

Dans notre société matérialiste, on valorise le paraître, le faire, l'avoir. Ainsi, si nos enfants excellent dans un domaine, nous nous percevons comme de bons parents. L'enfant intelligent et savant devient un trophée pour ses parents. En revanche, celui qui a fait ses propres découvertes ou possède des qualités comme la sensibilité ou la créativité est moins valorisé. Pourtant, cet enfant s'amuse...

Le jeu: maître des apprentissages

Tristan, Gabriel et Julie sont en train de mettre en scène une histoire de chevalier, de dragon et de princesse. Tristan doit négocier avec Gabriel qui, comme lui, convoite le rôle du chevalier. Quant à Julie, elle sera la princesse du château qui ordonnera la mise à mort du dragon. En jouant à «faire semblant», l'enfant devient maître de son propre univers imaginaire. Il recrée la réalité et la corrige en fonction de ses désirs. Le preux chevalier, si courageux devant le dragon, maîtrise comme par magie sa peur alors qu'il craignait tant le petit chien du voisin.

Par ce jeu théâtral, l'enfant fait de nombreux apprentissages. En négociant pour l'attribution des rôles, il apprend à accepter les délais, à résoudre des conflits. Lorsqu'il établit des règles, il doit écouter, partager et faire des compromis. En composant le scénario, il imagine des enjeux, exprime des émotions, des besoins, des désirs. Il joue avec les mots, verbalise ce qu'il fait, se pose des questions. Il acquiert ou améliore des habiletés sociales ou langagières. Le jeu symbolique favorise aussi la sensibilité : ainsi, le chevalier doit contrôler ses gestes pour ne pas blesser le dragon. En outre, il permet de construire des images mentales : l'enfant prévoit une succession d'événements : poursuivre le dragon, le menacer de son épée, etc. Il produit en pensée une suite logique d'actions en se basant sur sa mémoire pour retrouver des souvenirs d'un conte, d'un film, qu'il modifie ensuite selon ses désirs, puis les organise dans le temps et l'espace. Il transforme un rouleau de papier en épée, un carton en château. Ces images mentales lui permettent de conserver en mémoire des informations sans appui sensoriel, en l'absence de l'objet ou de la personne.

Plus tard, lorsque l'enfant sera en situation d'apprentissage scolaire, les images mentales lui permettront de mémoriser et d'intégrer les notions vues en classe. Abreuvés d'images toutes faites (télévision, vidéo, jeux vidéo ou ordinateur), certains enfants éprouvent de la difficulté à écouter un conte sans voir d'illustrations. Pourtant, il y a tant d'images derrière leurs yeux, comme celles qui jaillissent quand, couché dans le noir, les enfants écoutent une voix leur raconter une dernière histoire avant le dodo. Par le jeu symbolique, les enfants ont la possibilité de créer leurs propres images, qui sont nécessaires aux représentations liées aux tâches scolaires. Quant aux jeux d'eau et de sable, ils préparent à l'apprentissage des sciences et permettent d'améliorer la coordination visuomotrice. Par les manipulations, les enfants jouent avec divers concepts : poids, mesures, formes, grandeurs. Ils explorent le pareil et le différent, le lourd et le léger, le plus et le moins de même que la vitesse d'écoulement selon la grandeur du trou d'échappement. Ils observent la transformation de la matière (le mouillé, le sec), les relations spatiales (le dessous, le dessus). Tous ces apprentissages sont favorisés par une expérience sensorielle et surtout par la curiosité intellectuelle.

Le droit à l'enfance

Lorsque nous permettons à l'enfant de découvrir le monde par le jeu, nous respectons l'expression de la personnalité. Les enfants ne sont pas des adultes en miniature, hantés par l'avenir. Ce sont des petits d'homme qui ont leurs propres désirs, leurs propres rêves et leur candeur. Ils ont droit au respect de leur rythme, ils ont droit à la joie et au plaisir d'habiter leur univers, la planète enfance.

LES ENFANTS NE S'ACHÈTENT PAS !

▼

C'est la fin de la journée à la garderie. Xavier court dans le corridor et passe d'une salle à l'autre sans écouter sa mère qui l'invite à s'habiller. Elle est fatiguée par sa journée de travail et stressée par le temps qu'elle a perdu dans la circulation. Elle est contrariée par l'attitude de Xavier, mais elle continue d'essayer de le convaincre, sans résultat.

Des parents et des éducatrices présents dans le vestiaire observent la scène. La mère de Xavier sent leur regard. Elle se sent jugée et impuissante face à l'agitation de son enfant. Quand celui-ci passe près d'elle, elle finit par lui dire : « Xavier, si tu viens t'habiller tout de suite, je t'amènerai souper au restaurant. » Xavier se retourne. Sa mère s'approche et réitère sa promesse. « Au même restaurant que l'autre jour, celui avec la salle de jeu ? » demande Xavier. « Si tu veux ! » répond sa mère. Alors Xavier va s'habiller en souriant. Sa mère soupire.

Accro aux récompenses

La maman de Xavier a démissionné, découragée par la désobéissance de son fils. Pour obtenir sa collaboration, elle a eu recours à la promesse d'une récompense. Souvent, cette tendance à utiliser des subterfuges pour obtenir ce qu'on veut de l'enfant se manifeste dès que celui-ci commence à s'affirmer. Vers 2 ans, l'enfant commence à s'opposer à ses parents, car il veut exprimer qui il est et ce qu'il désire. Il découvre qu'il peut avoir du pouvoir et tente de contrôler son environnement en refusant les limites qu'on lui impose. Les manœuvres de l'enfant exigeant peuvent gêner ses parents surtout lorsqu'elles s'expriment par des cris ou des crises sous le regard des autres. En faisant des promesses à l'enfant, les parents entrent dans une dynamique de gagnant-perdant où il n'y a pas de place pour la collaboration. Les problèmes sont réglés de façon passagère, mais l'enfant obéit pour les mauvaises raisons, soit pour obtenir sa récompense, sans apprendre.

Dans ce genre de relation, l'enfant apprend à se comporter selon les attentes de ses parents parce que cela lui rapporte. Il continuera à bien se comporter tant qu'il sera gratifié pour son obéissance. J'ai déjà reçu l'appel d'une directrice de garderie piégée par le système de récompenses instauré par une de ses éducatrices. Celle-ci tentait de résoudre le problème des siestes agitées en promettant aux enfants des images autocollantes. Depuis deux jours, la directrice assistait à des scènes de pleurs et de cris au vestiaire et avait reçu la visite de parents excédés par les crises que faisaient leurs enfants lorsqu'ils ne recevaient pas d'images autocollantes. Lorsque l'éducatrice est partie en congé de maladie, le rituel de la remise des images a été rompu, ce qui a généré bien des frustrations. Les enfants agités qui réussissaient auparavant à se calmer durant la période de la sieste pour obtenir leur petit cadeau ont cessé de faire des efforts lorsqu'ils se sont aperçus qu'il n'y avait plus de récompense. En effet, dans ce genre de situation, le contrôle du comportement de l'enfant se fait de l'extérieur; il n'apprend pas à faire des choix, à se responsabiliser. Il n'est sage que lorsqu'il est sûr d'être vu par l'adulte. L'autre danger qui guette le parent qui marchande est l'escalade des prix. L'enfant gâté devient de plus en plus exigeant et négocie le prix de son obéissance. Il exerce un pouvoir sur le parent qui, par crainte des conflits, accepte de négocier à la hausse.

Reconnaître les efforts

Isabelle, l'éducatrice du groupe des Grenouilles, des enfants de 3 ans, souhaite leur apprendre à demander pour obtenir un jouet, de manière à diminuer le nombre de conflits. Elle promet donc à ceux qui feront une belle demande un tampon de grenouille. Julien, qui est enfant unique, doit déployer de grands efforts pour demander au lieu de s'accaparer un jouet. En revanche, Dominique, le cadet d'une famille de trois enfants, a souvent eu l'occasion de s'entraîner : à la maison, ses parents et ses frères lui ont appris à demander pour avoir un jouet. Il obtient donc des tampons sans effort. Quant à Julien, une seule grenouille saute sur sa main. À la fin de la journée, quand les enfants comptent leurs grenouilles, le ton monte entre les enfants : « J'en ai six ! », « Moi, j'en ai quatre : j'en ai plus que Julien ! »

Isabelle doit donc faire face à des conflits générés par la compétition. Non seulement les enfants se chamaillent-ils, mais Julien, qui a fait tant d'efforts, est malheureux : il n'a qu'une grenouille, alors que son unique demande était bien plus méritoire que les six de Dominique. Le fait d'offrir la même récompense pour un comportement donné nuit à l'apprentissage que doit faire chaque enfant. Que ce soit dans un groupe à la garderie ou au sein de la fratrie, il est important que les besoins individuels soient reconnus. Chaque enfant est unique : il a des forces, des habiletés et un rythme d'apprentissage propre. On ne doit le comparer qu'à lui-même.

Vouloir raisonner l'irraisonnable

Ariane, 3 ans, se promène avec son père. Après des achats à l'épicerie, ils retournent à la maison pour souper. Sur leur chemin, ils passent devant le parc. Ariane veut aller glisser. Son père refuse gentiment : « Maman nous attend à la maison et la crème glacée va fondre. » Mais Ariane se met à courir et se précipite vers la glissoire où elle retrouve son amie Anne. Son père la rejoint, lui explique calmement que ce n'est pas le moment, que la chaleur fait fondre la crème glacée et que la viande ne sera plus comestible. Ariane est très excitée : elle crie et court avec Anne sans prêter attention à son père. Celui-ci lui dit alors : « Sois gentille, nous reviendrons après le souper. Si tu viens tout de suite et que tu m'écoutes, je te donnerai ta surprise tout de suite. Tu pourras jouer avec les bulles de savon sur le chemin du retour. » Même l'attrait des bulles de savon ne peut l'arrêter : Ariane continue son jeu de poursuite avec Anne. Alors, son père remet la pipe à bulles de savon dans sa poche. Voyant cela, Ariane se met en colère, tente d'arracher le jouet à son père. Elle est maintenant hors de contrôle. Son père est obligé de l'arrêter et de la porter pour la ramener à la maison.

L'enfant a besoin d'aide pour apprendre à s'arrêter et à se calmer. Dans le cas d'Ariane, la perspective d'un nouveau jouet ne suffit pas à la raisonner. Avant de lui parler, son père aurait d'abord dû s'assurer qu'elle était prête à l'écouter. Or, Ariane était trop énervée pour comprendre ce qu'il lui disait. C'est pourquoi la promesse de pouvoir jouer avec les bulles de savon puis le retrait du privilège annoncé n'ont fait qu'intensifier son agitation. Devant l'irraisonnable, il faut agir et non raisonner ou manipuler.

Influencer plutôt qu'acheter

Lorsque le parent utilise la promesse d'une récompense ou la menace du retrait de cette récompense ou d'un privilège pour façonner la conduite de son enfant, il se sert d'un pouvoir d'achat et non d'un pouvoir d'influence. Il essaie de contrôler l'enfant par la manipulation. Ce comportement a des répercussions sur le développement de l'enfant.

L'enfant apprend par imitation. S'il voit que ses parents cherchent à le séduire et à le diriger en agitant la perspective d'une récompense, il aura tendance à reproduire ce qu'il voit. Il cherchera à plaire pour obtenir ce qu'il veut, à mentir ou à s'excuser pour ne pas perdre l'objet convoité. Il pourra devenir calculateur : « Si je fais telle ou telle chose, tu me donneras ceci ou cela. » Il aura tendance à rechercher les contacts avec des adultes qui peuvent lui offrir quelque chose en échange de sa gentillesse. Il sera dépendant d'eux. En leur présence, il aura une bonne conduite. En leur absence, c'est la loi du « pas pris, donc pas coupable ». Le petit négociateur qui obtient ce qu'il veut acquiert un sentiment de toute-puissance.

Des valeurs à inculquer

Ce n'est certainement pas en offrant des récompenses qu'on enseigne à l'enfant l'altruisme et la sensibilité à l'égard des autres. La générosité et la bonté ne s'achètent pas, ne se négocient pas. Elles s'apprennent par l'exemple. L'enfant acquiert une conscience morale en intériorisant le sens des règles familiales. Il découvre ce qui est approuvé ou désapprouvé par ses parents lorsqu'ils exercent une saine discipline.

Pour que l'enfant devienne peu à peu responsable de ses actes, il faut l'aider à en reconnaître les conséquences. Comment peut-il comprendre la peine qu'il a faite à quelqu'un si la seule conséquence est le retrait d'un jeu ? Au contraire, il assimilera les conséquences de ses gestes si on lui donne la possibilité de faire des choix et si on en souligne les résultats. « Regarde, tu as rendu la poupée à Claudine. Elle est contente. Tu as vu, elle t'invite à jouer avec elle. »

Le pouvoir de la relation

Les dompteurs de baleines et de dauphins ont observé que ces mammifères marins répondaient mieux aux caresses et aux étreintes qu'aux récompenses sous forme de nourriture ! De même, entre les êtres humains, le plus grand pouvoir est le pouvoir d'influence au sein d'une relation chaleureuse. Lorsqu'il est félicité et encouragé par un adulte qu'il aime, l'enfant sent que ses efforts sont reconnus. Il a alors tendance à reproduire les comportements valorisés par ses parents dans toutes sortes de situations, que ce soit à la garderie, en visite chez grand-maman ou à l'épicerie.

Lorsqu'il entend son père ou sa mère lui dire qu'ils sont fiers de lui ou satisfaits de son comportement, il reçoit le plus beau cadeau qui soit : le sentiment d'être aimé et d'être capable. La valeur d'une personne ne se calcule pas à la quantité de ses avoirs mais à la qualité de son être. L'enfant acquiert le sentiment de sa valeur personnelle en cultivant l'amour et non en collectionnant les cadeaux. Que les cadeaux offerts à nos enfants soient magiques, inattendus et sources d'émerveillement ! Qu'ils soient le témoignage d'un amour qui ne s'achète pas !

Bombardés d'images télé

▼

Antoine inquiète les éducatrices à la pouponnière. Les câlins, les douces mélodies, les bras chaleureux, les bercements, rien n'y fait. Elles ne réussissent pas à endormir le bébé dans sont petit lit. Pourtant, il gambade gaiement, explore et s'active toute la matinée. Après le repas, il montre clairement des signes d'endormissement, mais il ne parvient pas à s'apaiser. L'après-midi, il pleure, épuisé et tendu. En discutant avec les parents d'Antoine, les éducatrices finissent par découvrir le fond de l'histoire. À la maison, ils laissent Antoine s'endormir sur une petite chaise devant la télévision. Ce n'est que lorsqu'il s'est assoupi qu'ils le couchent dans son lit.

Pour certains, la télévision est un passe-temps, un moyen de se détendre ou de se divertir. Pour beaucoup, elle devient une encyclopédie animée ou une fenêtre sur l'actualité nationale et internationale. Pour l'enfant, la télévision doit être non seulement amusante mais aussi intelligente et porteuse de sens, c'est-à-dire adaptée à ses besoins et à son niveau de compréhension.

Un ami de toujours

Avant même de marcher ou de parler, la plupart des enfants regardent la télévision. Dans les bras de maman qui l'allaite, dans sa chaise haute durant les repas ou, comme Antoine, en attendant que le sommeil le prenne, le tout-petit est captivé par les sons et les couleurs dansantes de la boîte magique. Au Québec, on estime que les enfants de 2 à 11 ans consomment près de 20 heures de télévision par semaine. En 10 ans, le temps que les 2 à 6 ans passent devant la télévision a quadruplé.

Voir n'est rien sans comprendre

Les bébés sont attirés par cette boîte animée et sonore, par ses lumières. Certains d'entre eux passent plusieurs heures par jour dans un milieu habité par les images et les sons télévisuels. La télévision peut alors devenir une pollution sonore, car elle couvre les bruits familiers. Or, l'écoute attentive des sons émanant des activités domestiques et la discrimination des mots prononcés par les personnes significatives sont des éléments essentiels pour le développement du langage du bébé. Lorsque son papa ou sa maman identifient l'origine du bruit, le nomment, ils peuplent son monde de découvertes. Ses habiletés auditives pourront mieux se développer si son environnement sonore est dépollué, s'il est porteur de sens. De même, lorsqu'il regarde les images de la télévision, il a besoin que ses parents lui expliquent le sens de ce qu'il voit et entend. Cela dit, la télévision ne remplacera jamais les livres, car ce sont encore les meilleurs outils pour l'exploration continue et répétée.

Pour leur part, les enfants de 18 mois à 2 ans vont, même si la télévision est allumée, s'affairer, bouger, explorer, courir dans le salon, construire une tour de blocs, crier et sembler très occupés à jouer. Malgré cette inlassable activité, les tout-petits observent et remarquent ce qui se passe autour d'eux : il suffit de voir l'imitation qu'ils font des héros ou même des publicités pour s'en convaincre. De même, lorsqu'ils ont vu certains comportements gestuels ou verbaux chez leur personnage préféré, ils les répéteront. À cet âge, les émissions éducatives interactives, qui sollicitent la participation des enfants en les faisant danser, bouger, mimer ou chanter en compagnie d'un personnage qui leur ressemble, sont très appréciées. Les parents peuvent donc encourager cette préférence puisque les besoins propres aux tout-petits sur le plan moteur sont respectés.

À l'âge de 3 à 5 ans, certains enfants ont des rendez-vous quotidiens avec des émissions pour enfants : une relation s'établit avec leurs personnages préférés qu'ils veulent retrouver et avec qui ils interagissent. Toutefois, selon une étude effectuée par l'Office national du film, 30 % des enfants de 4 ans regardent aussi des émissions pour adultes entre 19 heures et 23 heures. Or, à cet âge, les enfants s'identifient à leur personnage préféré, qu'ils considèrent comme leur ami et veulent donc imiter. Ils réagissent plus aux images qu'à la trame narrative et sont particulièrement attirés par les images d'action, les effets spectaculaires et la musique forte, souvent présents dans les scènes de violence. De même, ils sont captivés par les messages publicitaires tapageurs dont ils répètent les slogans et fredonnent les refrains. Leur compréhension du médium est limitée, car leur connaissance du monde demeure restreinte. Comme ils distinguent mal le réel de l'imaginaire, ils perçoivent le contenu des émissions comme la réalité et ne remettent pas en question ce qu'ils ont vu.

Avant l'âge de 4 ans, l'enfant ne sait pas faire la différence entre une capsule publicitaire, destinée à vendre, et une émission de divertissement, entre la fiction et la réalité. À cet âge, il a besoin de ses parents pour être réconforté lorsqu'il se retrouve face à des scènes qui lui font peur. Les parents doivent choisir les émissions et ne pas hésiter à les enregistrer. L'enfant d'âge préscolaire adore les répétitions sur vidéocassette. Les histoires simples, répétées et dont les actions sont prévisibles le rassurent et le détendent.

En complément, c'est mieux!

La télévision peut avoir une influence sur le développement social et moral de l'enfant. Elle joue un rôle positif dans l'apprentissage de l'enfant lorsqu'elle propose des modèles sociaux de collaboration, d'entraide et de respect ou qu'elle stimule sa curiosité intellectuelle grâce à des émissions adaptées au monde de l'enfance. Mais elle ne devient un outil d'enseignement à part entière que lorsqu'elle est utilisée en complément de l'éducation parentale.

Ensemble... mais seuls

Lorsque j'étais enfant, nous nous réunissions en famille le dimanche soir pour regarder notre émission favorite. J'aimais ce rituel alimenté des commentaires de chacun. Ma mère terminait rapidement la vaisselle, mon père s'installait confortablement dans le grand fauteuil après avoir replié son journal, et mon petit frère parvenait miraculeusement à arrêter de bouger pendant une heure. C'était un moment béni où, ensemble, on riait et on rêvait de voyages et d'exploits.

Aujourd'hui, notre vie est si agitée que nous sommes moins disponibles pour nos enfants. Souvent, nous allumons la télévision sous prétexte de nous reposer. Les dialogues des personnages de téléromans ou de téléfilms ont remplacé les douces berceuses des mamans qui écoutent la télévision en allaitant. Le bébé dans les bras de maman n'est plus tout à fait avec sa maman. La complicité dans l'amour attentif, dirigé vers le poupon, se dilue dans les tourments des personnages à la télévision. Les discussions pendant le repas se font de plus en plus rares lorsque la télévision est allumée. En famille, on se retrouve « ensemble comme si on était tout seul », selon l'expression employée par Catherine Dolto*. Il est vrai que la télévision peut aussi tenir compagnie quand on est seul, mais lorsque cette compagnie occupe toute la place, l'enfant s'ennuie de ses parents ou des activités familiales.

Mauvais scénario pour la santé

Ce matin, à la garderie, c'est au tour de Félix, 4 ans, de jouer à un jeu vidéo. Pendant qu'il manipule la souris de l'ordinateur avec aisance, quatre de ses petits amis l'observent, immobiles, le regard fixe. Selon Elsa, l'éducatrice de ce groupe, cette fascination dure parfois jusqu'à 40 minutes tous les jours. C'est l'appel pour le repas qui rompt le charme. Le groupe est agité, les conflits se multiplient, les enfants grimpent, courent, crient et évacuent tant bien que mal leur surplus d'énergie. Après le repas, quand l'éducatrice propose d'aller jouer dehors, les enfants refusent. Un petit groupe va même s'installer à nouveau près de l'ordinateur alors qu'un autre veut regarder une cassette. L'éducatrice éprouve de la difficulté avec son groupe qu'elle qualifie d'agité : les réprimandes se multiplient, et les enfants délaissent de plus en plus les jeux plus moteurs.

À force d'être assis devant le petit écran comme Félix et ses amis, les enfants sont moins en forme puisqu'ils n'exercent pas leur motricité globale en sautant, en courant ou en grimpant. On sait que, dans nos sociétés, la forme physique se dégrade à partir de 5 ans, et on remarque de plus en plus de problèmes cardiovasculaires ainsi que des problèmes de posture et d'obésité chez les petits.

---

* DOLTO, Catherine. *Conte pour enfants, La télévision*. Paris : Gallimard Jeunesse, 2001. (Collection Giboulée)

Sur le plan psychologique, l'incapacité du petit à distinguer la fiction de la réalité génère des peurs dont il parle peu : il croit fermement à la réalité de la menace des monstres, des fantômes, des sorcières et des autres créatures imaginaires. Parfois, il craint aussi d'être blessé s'il a vu des images du corps humain déformé. Bombardé d'images qu'il ne comprend pas, il sera souvent habité par des peurs qui troublent son sommeil. Enfin, du point de vue de la nutrition, la télévision peut aussi influer sur les goûts alimentaires des enfants. Céréales sucrées, friandises et aliments gras présentés par des jeunes qui hurlent des chansons rythmées suscitent l'intérêt du petit qui y verra les ingrédients d'une potion magique pour patiner rapidement ou sauter plus haut.

La télé : source d'apprentissage et source de violence

La télévision éducative peut être une bonne source d'enseignement ; mais il ne faut pas oublier que, durant la petite enfance, l'apprentissage doit être actif, exploratoire, ce que Piaget nomme une «conquête active». C'est pourquoi le jeu doit demeurer le premier outil d'apprentissage du petit. En effet, s'il consomme trop de télévision, l'enfant manque de temps pour jouer, découvrir et ainsi intégrer, par ses sens et le mouvement, le monde extérieur.

Max, 3 ans, est en train de jouer avec un camion. Lorsqu'un de ses amis, Simon, veut s'emparer de son jouet, Max s'avance vers lui en proférant cette menace : «Va-t-en. Je vais prendre un couteau, je vais t'ouvrir le ventre, ça va faire un grand trou et ça va saigner.» Simon rejoint son éducatrice Lucia en pleurant et lui explique pourquoi il est terrorisé. Elle le rassure en lui disant qu'elle est là pour le protéger. Elle lui explique que Max est en colère et qu'il est en train d'apprendre à dire : «Je suis fâché.» De son côté, Max racontera plus tard à son éducatrice que, quand son grand-père le garde, il leur arrive souvent de regarder ensemble des films « pour les grands ». Un jour, il a vu un film où un homme tuait quelqu'un avec un grand couteau. Lucia rassure Max en lui disant que c'est normal d'avoir peur des films de violence. Elle lui explique aussi que les comportements violents ne sont pas acceptables même si on est fâché et lui propose d'autres façons d'exprimer sa colère contre Simon.

Selon un groupe de recherche sur les jeunes et les médias mis sur pied au département de communication de l'Université de Montréal, les enfants voient en moyenne 12 000 actes violents à la télévision par année. Si cette violence touche tous les enfants, ceux-ci n'y réagissent pas tous de la même façon. Certains vont percevoir le monde comme un lieu menaçant et devenir craintifs. D'autres deviennent insensibles à la souffrance des autres, car le fait d'en voir souvent banalise les gestes agressifs. De plus, on voit rarement les conséquences des actes violents. Dans les dessins animés, la violence se marie avec l'humour et se vit sans conséquences pour la victime. Cela dit, bien que les dessins animés montrent cinq fois plus de scènes de violence que les émissions de grande écoute, les films et les émissions pour adultes impressionnent davantage les enfants : ce sont alors des acteurs en chair et en os qui, armés de fusils ou de couteaux, blessent ou tuent, et leurs victimes hurlent de douleur.

Enfin, certains enfants vont manifester plus de comportements agressifs et vont, comme Max, répéter des scènes de violence qu'ils ont vues à la télévision. S'appuyant sur ce qu'ils ont perçu, ils considèrent la bagarre et les coups comme des moyens efficaces de régler les conflits ou d'obtenir ce qu'ils convoitent. Normalement, leurs parents condamnent ces gestes brutaux. Ces enfants se trouvent alors face à un dilemme : leurs parents refusent la violence mais la télévision la permet et en fait même la promotion. C'est une incohérence qui peut expliquer que certains enfants et certains adolescents soient violents à l'extérieur de la famille et presque pas à la maison.

Si la violence à la télévision touche tous les enfants, ceux qui la regardent seuls, ceux qui en consomment plusieurs heures par jour et, plus particulièrement, ceux dont les parents n'exercent aucun contrôle sur le contenu télévisuel sont plus influencés par cette violence. Le risque d'être violents eux-mêmes augmente en particulier chez les enfants qui subissent de la violence familiale ou qui souffrent de troubles affectifs.

Télévision et valeurs morales

La télévision ouvre la porte sur un monde de découvertes : de l'univers des insectes à celui des étoiles, l'enfant voyage, émerveillé, curieux et insatiable, plus informé que jamais. Le petit est aussi touché par les personnages apparaissant à l'écran. Comme une éponge, incapable de discerner ce qui lui convient, il absorbe ce qu'on lui présente, que ce soit réaliste ou non. Ainsi, certaines émissions jeunesse offrent une image juste de notre société en représentant la multiethnicité et la diversité des familles. On y retrouve des personnages qui évoluent dans le respect et qui sont capables de négocier, d'avoir des échanges, de vivre ensemble en exprimant leurs émotions, leurs besoins et leur amour. Les enfants peuvent s'identifier à eux et ainsi apprendre la tolérance, l'écoute et le sens des responsabilités. Mais nous laissons aussi parfois entrer dans nos salons des personnages peu recommandables qui utilisent la violence, rabrouent les vieillards, bousculent les plus faibles.

Et que dire du personnage de l'enfant cabotin, effronté, casse-cou qui s'amuse à irriter ses parents ? Ce petit adulte miniature qui planifie ses coups pour nuire à son entourage est présenté comme un enfant intelligent et amusant. Loin de moi l'idée de promouvoir le modèle de la petite fille modèle qui s'efface, qui s'oublie pour plaire aux adultes. Mais je me demande où est passée la valeur du respect mutuel. Souvent, le petit écran projette une image déformée de la société en proposant des séries où les personnes âgées ou issues de milieux défavorisés sont sous-représentées, où les héros sont tous de sexe masculin et de race blanche, où les filles sont passives, émotives et obsédées par leur apparence, et les garçons, actifs, performants et agressifs.

Lorsque l'enfant est à l'âge de l'affirmation de son identité sexuelle, vers 3-4 ans, il cherche des modèles pour développer les caractéristiques de son genre. Les rôles stéréotypés sur le plan sexuel présentés à la télévision deviennent des références trompeuses qui peuvent influencer la perception de l'enfant.

Préserver les valeurs

La télévision a une grande influence sur les enfants, particulièrement ceux d'âge préscolaire pour qui le sens du bien et du mal se construit à l'aide des influences extérieures : au nombre de ces influences, celle des parents est la plus importante. Ces derniers doivent donc jouer le rôle de gardiens des valeurs afin que les messages véhiculés par les médias et entendus par les enfants rejoignent leurs propres valeurs éducatives. Et ces valeurs, la télévision leur donne l'occasion de mieux les faire connaître à leurs enfants grâce à leurs commentaires, à leurs réactions ou même aux interdits qu'ils expriment.

La télévision sert à apprendre en s'amusant. La façon dont nous définissons une bonne programmation varie selon les valeurs que nous voulons transmettre à nos enfants. Il est important de favoriser le développement de saines habitudes télévisuelles chez eux et le rapprochement entre les membres de la famille. Utiliser la télévision de façon judicieuse, cela peut s'apprendre.

La télévision fait partie de notre vie et ouvre une fenêtre sur le monde. Elle peut stimuler la curiosité et devenir un moyen d'éducation, mais seulement dans la mesure où elle est un partenaire interactif qui propose une image juste du monde extérieur et, surtout, une image adaptée au niveau de compréhension des jeunes auditeurs.

VOICI QUELQUES CONSEILS POUR VOUS AIDER À UTILISER LA TÉLÉVISION DE FAÇON JUDICIEUSE

- Approuvez les bons choix de votre enfant. Lorsqu'il joue dehors, dessine ou fait des constructions avec des blocs, valorisez ses élans créatifs, ses initiatives. Vos encouragements l'inciteront à occuper son temps de façon constructive.

- Parlez avec votre enfant de ce que vous entendez par violence, de ce qui le touche ou lui fait peur, de ce qu'il aime, de ce qu'il a compris. Expliquez-lui en quoi le geste de tel ou tel personnage est bon, pourquoi vous préférez l'un ou l'autre héros.

- Planifiez des activités en famille. Les sorties au parc, les casse-tête, les visites à la bibliothèque ou chez des amis sont des occasions d'être actifs ensemble. Le fait de regarder une émission choisie en famille devient alors une activité parmi d'autres, ce qui en diminue l'importance.

- Regardez la télévision avec votre enfant. La télévision ne doit pas jouer le rôle de gardienne. Évitez de mettre un téléviseur dans la chambre des enfants et dans la salle à manger, car cela nuit à la communication entre les membres de la famille.

- Enregistrez les émissions que vous jugez éducatives pour créer une bibliothèque des meilleures émissions jeunesse. Cela vous rassurera, car vous savez que leur contenu est exempt de scènes de violence ou de langage grossier tout en rassasiant votre tout-petit qui raffole des répétitions.

- Nommez les peurs, les émotions et les centres d'intérêt de votre enfant pendant qu'il regarde une émission : « Tu as l'air content que Caillou ait retrouvé son chemin. C'était un peu effrayant de le voir tourner en rond en cherchant sa maison, non ? »

- Distinguez la réalité de la fiction. Vous pouvez dire à votre enfant : « C'est un fantôme. C'est pour faire semblant. Est-ce que ça existe vraiment ou est-ce pour rire ? » Comme le petit d'âge préscolaire baigne dans l'imaginaire, le monde magique du petit écran peut parfois le hanter. Aidez-le aussi à faire la distinction entre les scènes qui font partie de l'émission et les messages publicitaires.

- Régissez les heures d'écoute en réduisant la période d'écoute à une heure et demie par jour. Exercez un contrôle sur les émissions que regarde votre enfant. Selon le cas, interdisez les émissions qui s'adressent aux adultes et expliquez-lui pourquoi il peut en voir certaines: «Aujourd'hui, c'est spécial. Nous allons regarder la télé à 8 heures du soir parce que c'est un spectacle pour enfants.»

- Encouragez votre enfant à participer. Invitez-le à chanter, à taper des mains, à danser au son de la musique ou à repérer quelque chose: un animal, un enfant, un bon aliment, quelqu'un qui fait quelque chose d'interdit ou quelqu'un qui fait plaisir... Discutez avec lui de ce qu'a fait tel ou tel personnage violent et trouvez ensemble des solutions de rechange pacifiques.

LES ENFANTS EN MAL DE PRÉSENCE

▼

Dix pour cent des enfants qui fréquentent les milieux de garde y passent plus de dix heures par jour. Partout au Québec, par exemple, des enfants accumulent près de soixante heures de garde par semaine. Peu d'adultes acceptent de travailler autant d'heures, semaine après semaine!

Des enfants surmenés

Aude, 2 ans et demi, pleure depuis plus d'une heure. Elle picore dans son assiette bien que sa maman lui ait préparé son mets préféré. Les larmes ont commencé dans la voiture, lors du trajet de la garderie à la maison. Maintenant elle sanglote, incapable de se calmer. Ses crises de larmes fatiguent ses parents qui les subissent parfois les jeudis et tous les vendredis. La période du coucher s'étire, Aude lance ses toutous, repousse les couvertures de ses pieds et se lamente constamment. Elle s'endort épuisée d'avoir tant pleuré. Aude est entraînée dans le tourbillon de la vie trépidante de ses parents. Elle se lève à 6 heures, est accueillie à la garderie à 7 heures et quitte le milieu de garde vers 18 heures. Elle se couche vers 19 heures 30. Elle fréquente la garderie de son quartier et ses parents travaillent au centre-ville. Certains milieux de garde offrent d'ailleurs le déjeuner et le repas du soir aux enfants dont les parents sont coincés dans la circulation ou mobilisés par leurs occupations professionnelles. Le temps partagé en famille se résume alors à bien peu de choses. Finies les jasettes au repas, les chatouilles dans le salon, les jeux d'eau dans la baignoire et la magie du conte, les enfants bien blottis au creux du lit. Le petit subit le rythme effréné de la vie moderne, il s'y soumet ou... se rebelle!

Une surdose

Loïc, 3 ans, s'amuse seul avec les dinosaures. Étienne s'asseoit à côté de lui et choisit un tyrannosaure et un tigre. Loïc crie: «Va-t-en!», le pousse et lui enlève ses animaux. Hélène, l'éducatrice, explique à Loïc qu'il y a de la place pour trois amis dans ce coin de jeux et que la boîte contient de nombreux animaux qu'il peut partager. Le nombre de conflits provoqués par l'intolérance et l'irritation de Loïc augmente au fur et à mesure que la journée avance.

Une étude a démontré que le taux de cortisol, hormone sensible au stress, augmentait durant la journée chez les enfants qui fréquentaient les milieux de garde alors qu'il baisse habituellement une à deux heures après le réveil. Les enfants de 3 à 5 ans qui évoluent dans un contexte où les jeux de groupe sont très présents manifestent des signes de stress*. Ils ont de nombreux défis sociaux à relever.

Leur taux de cortisol augmente durant la journée de la mi-matinée à l'après-midi. Les enfants qui éprouvent des difficultés

---

* WATAMURA, S.E. et al. «Morning-to-afternoon increases in cortisol concentrations for infants and toddlers at child care age: differences and behavioral correlates». *Child Development* 2003, 74 (4): 1006.

à entrer en contact avec les autres ont un taux de cortisol plus élevé. Les interactions leur procurent peu de satisfaction, ils vivent du rejet. Le contexte social génère pour eux du stress. Loïc fait partie de ces enfants plus sensibles, moins habiles socialement, pour qui de longues heures de garde entraînent des troubles de comportement. Il a besoin de se retrouver seul dans ses jeux et d'apprendre progressivement l'art de créer des liens positifs avec les enfants de son âge.

«Je ne suis pas ta maman»

Marie applique un linge frais sur le front de Sylvain qui est fiévreux. Elle le berce doucement et lui sourit. Elle accueille cet enfant depuis trois ans dans sa maison. Sylvain a même passé quelques nuits chez son éducatrice en milieu familial. Un attachement les lie l'un à l'autre. Sylvain passe près de soixante heures par semaine chez Marie. Sylvain murmure «maman». Marie lui répond gentiment: «Je ne suis pas ta maman. Je m'occupe de toi quand ta maman travaille. Ta maman, c'est Julie. Elle va venir te chercher et t'emmener chez le médecin.» L'attachement se construit dans la relation stable par les soins, les gestes chaleureux et rassurants. Cette construction exige du temps, de l'engagement et surtout de la présence.

Les parents doivent adapter leur mode de vie afin de bien répondre aux besoins affectifs de leur tout-petit. La garderie est une nécessité inhérente à la conciliation travail-famille. Cependant, le parent peut compenser cette absence en réservant à sa famille du temps de qualité. La vaisselle, le rangement, le lavage et l'émission de télévision peuvent attendre que l'enfant soit couché. Pourquoi ne pas profiter au maximum de cette heure en famille pour jouer, se promener au parc, se bercer, lire une histoire, regarder des photographies? Faites participer vos petits aux tâches ménagères. Les enfants peuvent placer les napperons pour le repas, déposer les verres, mettre les serviettes de table, plier les serviettes, dessiner ou faire des casse-tête durant la préparation du repas. En choisissant vos activités, vous signifiez à l'enfant qu'il est important pour vous. Vous donnez la priorité à votre famille.

Les problèmes de comportement associés à la garderie intensive s'expliquent non seulement par le manque de qualité de certains services de garde, mais aussi par l'échec de certains parents à répondre aux besoins émotionnels de leur enfant*.

En milieu de garde, nous remarquons souvent la présence d'enfants en quête d'attention. Ils recherchent le regard d'un adulte. Ils préfèrent être réprimandés que de se sentir ignorés. En garderie, ces enfants se retrouvent en contact avec un adulte disponible. Ils puisent dans leur sac à idées pour imaginer toutes sortes de stratégies visant à faire réagir. « Remarquez-moi, parlez-moi », semblent-ils nous dire. L'éducatrice leur apprend d'autres façons d'être en contact avec l'adulte, en commençant par une demande claire : « Veux-tu me prendre ? Veux-tu jouer avec moi ? » Ils expriment ainsi le besoin qu'ils ont d'être en présence des personnes qu'ils aiment le plus, leurs parents.

Donner la première place à nos enfants

Choisir d'être parent, c'est choisir de vivre en famille. C'est parfois renoncer à nos désirs personnels pour combler ceux de l'enfant. C'est s'investir dans une relation privilégiée pour que l'enfant grandisse à côté d'un adulte qui s'épanouit aussi grâce à lui. Ne faisons pas de nos enfants les victimes de nos choix de vie. Accumulation de biens, maison de banlieue, performance

---

* « Does amount of time spent in child care predict socioemotional adjustment during the transition to Kindergarten ? » *Child Development* 2003, 74 (4) : 976-1005.

professionnelle, autant de rêves d'adultes qui deviennent des cauchemars d'enfants. Ces petits rêvent bien plus de bras tendus, de rires complices, de doux câlins, d'un salon encombré des grandes jambes de leur papa plutôt que d'une vaste maison désertée ou d'une montagne de jouets silencieux.

LES ENFANTS ONT
BESOIN DE VACANCES

▼

De plus en plus d'enfants n'ont pas de vacances avec leurs parents. De la négligence qui n'est pas sans conséquence…

Ce matin, Isabelle accueille Simon et ses parents dans la cour extérieure de la garderie. C'est qu'il fait déjà beau et chaud en ce début d'été ! Simon boude, ne sourit pas et refuse de se joindre à son groupe d'amis. Plus tard, lorsque les enfants sont assis en cercle, Sébastien raconte ses vacances : les grenouilles du lac chez grand-maman, le feu d'artifice, la promenade dans la forêt avec son papa, la cueillette de fraises et les déjeuners tardifs pris sur une nappe comme en pique-nique. Simon écoute puis, subitement, pousse Sébastien. L'agression est couronnée par une crise de larmes.

Des enfants fatigués

Simon est l'un des nombreux enfants qui fréquentent la garderie 52 semaines sur 52. Les parents disent qu'ainsi ils profitent mieux de leurs vacances. Les éducatrices en garderie et les intervenants en petite enfance observent une augmentation du nombre d'enfants qui n'ont pas de vacances avec leurs parents. Ces enfants affichent des signes de fatigue, expriment leur intolérance par rapport aux autres par des coups ou des cris. Certains se réfugient dans un monde imaginaire et cherchent à s'isoler. Ils s'agitent près des fenêtres ou dans les corridors en fin de journée ou examinent passivement les allées et venues des parents qui viennent chercher leurs enfants après leur journée de travail. La vie trépidante et joyeuse de la garderie ne les passionne plus.

On peut facilement comprendre leur épuisement en faisant un parallèle entre le milieu de garde et le milieu de travail. L'enfant, au même titre que l'adulte, y vit du stress. La vie de groupe génère du bruit, des cris, des pleurs, des demandes, de l'agitation : le fourmillement de tout ce petit monde crée un environnement sonore très irritant à la longue. La gestion du temps devient aussi une source de stress. Les soutiens nécessaires au fonctionnement de la vie de groupe et les horaires des parents peuvent bousculer le rythme naturel de l'enfant. De plus, la vie de groupe représente de nombreux défis sociaux : vivre continuellement en compagnie d'autres enfants demande des ajustements, des adaptations. L'enfant doit partager les objets, l'attention de l'éducatrice et l'espace, tolérer la proximité de l'autre, attendre son tour pour parler, se laver les mains, avoir un jouet ou une caresse à la sieste. Il doit freiner son impulsivité pour faire des compromis avec les amis. Lorsque l'enfant joue, il travaille. Les vacances lui permettent de se reposer de la vie de groupe, de fonctionner à son rythme, de réduire son stress. Elles favorisent aussi les moments de rapprochement et de plaisirs partagés en famille.

Des enfants négligés

Être un parent responsable, c'est bien plus que de nourrir, vêtir et loger son enfant. La relation d'attachement ne se tisse pas que de soins physiques : il faut aussi du temps partagé dans le plaisir, la tendresse et la complicité. Le souvenir de mes petites mains enfarinées à côté de celles de ma mère et de l'odeur sucrée des biscuits ou celui de mes cris entremêlés aux rires de mon frère quand mon père jouait avec nous dans la piscine m'attendrissent toujours. L'évocation de ces moments en famille me réchauffe le cœur et me rappelle l'amour de mes parents pour moi et celui que j'ai pour eux. Le temps passé en famille soutient l'existence affective de l'enfant. Les activités spéciales, les fêtes, les voyages, les excursions, les pauses-tendresse, les plaisirs simples, tout cela dessine l'imagier de l'histoire familiale. Être inclus dans un projet de vacances permet à l'enfant de vivre un sentiment d'appartenance à sa famille. Mais avant tout, l'enfant se sent aimé puisqu'il est assez important pour faire partie des plaisirs des parents.

Beaucoup d'enfants vivent mal la pénurie de temps dans la famille. Ils ne profitent que très peu de la présence de leurs parents. On estime aujourd'hui qu'une famille moyenne a besoin de 77 heures de travail rémunéré par semaine pour subvenir à ses besoins, sans compter le temps nécessaire pour s'acquitter des tâches ménagères. Dans ce contexte social peu propice à la famille, la période des vacances devient donc le moment privilégié des rapprochements familiaux.

Des parents surmenés

Mais comment expliquer ce manque de disponibilité envers l'enfant ? Sauf à de rares exceptions près, les enfants sont aimés de leurs parents. Ce n'est donc pas la relation d'attachement qui est en cause mais bien la disponibilité des parents. Généralement, ceux-ci connaissent les besoins d'attachement et d'appartenance de l'enfant à sa famille. Malgré qu'il est généralement prévu que l'enfant ne perd pas sa place en garderie s'il part en vacances annuelles avec ses parents, certains d'entre eux choisissent de laisser leur enfant au milieu de garde pendant cette période.

Dans notre société, le bien-être personnel passe bien avant celui de la collectivité : nous avons le culte de l'individualisme. Certains parents surchargés de travail durant toute l'année imaginent difficilement pouvoir se reposer en compagnie de leur enfant. Pour eux, prendre soin de soi exclut parfois la responsabilité parentale.

Les parents stressés ont peu de temps à accorder à leur enfant. Après le travail, le repas, le lavage, les bains, ils sont exténués. Paradoxalement, c'est dans des instants de plaisirs partagés que le parent obtient le plus de satisfaction avec son enfant. La création d'une famille apporte de grandes joies si on investit dans ce lien d'amour.

Vivre des vacances en famille ne devrait pas être un geste d'abnégation ou de sacrifices continus mais plutôt un cadeau mutuel : le cadeau de s'épanouir ensemble. Il est possible de décrocher du travail, de se reposer en famille. La détente s'installe dans la flânerie du matin, les promenades au parc, la lecture d'un bon roman durant la sieste ou les jeux des petits. En plaçant la famille en priorité, le parent renonce à une tranquillité de couple ou de célibataire et choisit d'offrir la place qui revient à son enfant, une place près du cœur.

Accorder du temps à ceux qu'on aime

La famille est un lieu d'apprentissage des valeurs. Durant mes jeux à la piscine, j'ai appris à respecter ceux qui craignent l'eau. En confectionnant des biscuits, j'ai appris le partage, la générosité. Prendre du temps avec notre enfant, c'est aussi lui donner l'occasion d'intégrer nos valeurs morales.

Le manque de disponibilité des parents et l'absence de projets et d'activités familiales ont un effet négatif sur les enfants. Le réseau social qu'offrent les garderies n'est pas un antidote au sentiment de solitude que vivent certains d'entre eux qui ne sont pas sûrs d'avoir une vraie place dans leur famille. À la longue, ils sont exaspérés par le groupe et souhaiteraient que leurs parents soient plus présents à la maison, plus disponibles pour eux. « C'est le temps que tu as perdu pour ta rose qui rend ta rose si importante », nous rappelle Antoine de Saint-Exupéry.

Bonnes vacances avec vos trésors !

Bᴵᴮˡᴵᴼᴳᴿᴬᴾᴴᴵᴱ

▼

Bᴇʀɢᴇʀᴏɴ, André et Yvon Bᴏɪs. *Quelques théories explicatives du développement de l'enfant*. Saint-Lambert (Québec): Soulières éditeur, 1999. 147 p.

Cʟᴇʀɢᴇᴛ, Stéphane. *Ils n'ont d'yeux que pour elle: les enfants de la télé*. Paris: Fayard, 2002. 229 p.

Cʟᴏᴜᴛɪᴇʀ, Richard et André Rᴇɴᴀᴜᴅ. *Psychologie de l'enfant*. Boucherville: Éditions Gaétan Morin, 1990. 773 p.

Dᴏʟᴛᴏ, Françoise. *Les chemins de l'éducation*. Paris: Éditions Gallimard, 1994. 390 p.

Dᴏʟᴛᴏ, Françoise. *Les étapes majeures de l'enfance*. Paris: Éditions Gallimard, 1994. 402 p.

Dᴏʟᴛᴏ, Françoise. *Tout est langage*. Paris: Éditions Gallimard, 1995. 142 p.

Dᴜᴄʟᴏs, Germain. *L'estime de soi, un passeport pour la vie*. Montréal: Éditions de l'Hôpital Sainte-Justine, 2000. 115 p. (Collection de l'Hôpital Sainte-Justine pour les parents)

Dᴜᴄʟᴏs, Germain, Danielle Lᴀᴘᴏʀᴛᴇ et Jacques Rᴏss. *Les grands besoins des tout-petits*. Saint-Lambert (Québec): Les Éditions Héritage, 1994. 262 p.

Fᴀʙʀᴇ, Nicole. *J'aime pas me séparer*. Paris: Éditions Albin Michel, 2002. 149 p.

Lᴀᴘᴏʀᴛᴇ, Danielle. *Être parent, une affaire de cœur I*. Montréal: Éditions de l'Hôpital Sainte-Justine, 1999. 144 p. (Collection de l'Hôpital Sainte-Justine pour les parents)

LAPORTE, Danielle. *Être parent, une affaire de cœur II*. Montréal : Éditions de l'Hôpital Sainte-Justine, 2000. 136 p. (Collection de l'Hôpital Sainte-Justine pour les parents)

PIAGET, Jean. *Six études de psychologie*. Genève : Denoël/Gonthier, 1964. 188 p.

RESSOURCES

▼

Ministère de l'Emploi, de la Solidarité sociale et de la Famille

Montréal
600, rue Fullum
Montréal (Québec) H2K 4S7
📠 : (514) 873-4250

Québec
425, rue Saint-Amable, 1er étage
Québec (Québec) G1R 4Z1
📠 : (418) 528-8862

Service des renseignements à la population
☎ Montréal : (514) 873-2323
☎ sans frais : 1-800-363-0310
☎ Québec : (418) 643-2323
Courriel : famille@messf.gouv.qc.ca
Site web : www.mfe.gouv.qc.ca/serv_garde/index.asp

Le Ministère a publié plusieurs documents sur les services de garde. Certains sont diffusés gratuitement tandis que les autres sont vendus aux Publications du Québec. Le répertoire *Centres de la petite enfance et autres services de garde* peut être consulté sur le site Internet ou envoyé gratuitement par la poste. Le centre de documentation du Ministère est accessible sur rendez-vous.

Centre québécois de ressources à la petite enfance
2100, avenue Marlowe
Montréal (Québec) H4A 3L5
☎ : (514) 369-0234
☎ sans frais : 1-877-369-0234
📠 : (514) 369-2112
Courriel : enfance@cqrpe.qc.ca
Site web : www.cqrpe.qc.ca/

Pour les personnes s'intéressant au développement et au bien-être des enfants de 0 à 6 ans. Le Centre peut vous référer aux services appropriés grâce à une banque d'information sur la vie familiale.

Éducation coup-de-fil
☎ : (514) 525-2573
📠 : (514) 525-2576

Service de consultation professionnelle téléphonique gratuit. Pour aider à solutionner les difficultés courantes.

La Ligne Parents
C.P. 186, Succ. Place d'Armes
Montréal (Québec) H2Y 3G7
Ligne d'écoute : (514) 288-5555
☎ sans frais : 1-800-361-5085

Intervention et soutien téléphonique pour les parents d'enfants de 0 à 18 ans, 24 heures par jour, 7 jours par semaine.

Ligne Assistance Parents
☎ sans frais : 1-888-603-9100
Site web : http://parentsinfo.sympatico.ca

Service national et bilingue offrant soutien, information et orientation aux parents d'enfants âgés de 0 à 19 ans. Il est possible d'accéder à une banque de messages téléphoniques ou de parler à un conseiller 24 heures par jour, 7 jours par semaine.

Sites Internet

Enfant et Famille Canada
Fédération canadienne des services de garde à l'enfance
www.cfc-efc.ca

Site canadien d'éducation publique réunissant plus d'une cinquantaine d'organisations canadiennes à but non lucratif.

Espaces santé
Fédération canadienne des services de garde à l'enfance
www.cfc-efc.ca/espaces-sante

Site interactif conçu pour donner aux parents et aux intervenantes en garderie les renseignements d'ordre pratique pour protéger les jeunes enfants des accidents.

Familles d'aujourd'hui
www.famillesdaujourdhui.com/portail/intro/index.asp

Site dédié à la famille pour les parents, les futurs parents et les grands-parents. On y trouve une multitude de textes sur la santé, la psychologie, le loisir ou l'éducation.

Guide pour résoudre les problèmes comportementaux des enfants d'âge préscolaire
Emploi, solidarité sociale et famille Québec
www.mfe.gouv.qc.ca/a_nous_de_jouer

Sur ce site, vous trouverez une trentaine de fiches qui traitent des causes de comportements indésirables chez le jeune enfant.

Info famille boulot
Fédération canadienne des services de garde à l'enfance
www.wft-ifb.ca/home_fr.htm

Des dizaines de suggestions et de trucs pratiques afin de concilier le travail et la vie familiale.

Investir dans l'enfance
Fondation Investir dans l'enfance
www.investirdanslenfance.ca

Informations destinées aux parents de jeunes enfants de 0 à 5 ans : développement de l'enfant, relations parents-enfants, etc.

Les conseils de Sylvie
www.aveclenfant.com/conseils/sylvie.html

Des conseils de l'auteur, Sylvie Bourcier, pour permettre d'outiller et de soutenir les parents et les intervenants œuvrant pour la petite enfance.

Magazine Enfants-Québec
www.enfantsquebec.com

Site de la revue mensuelle Magazine Enfants-Québec qui offre des versions abrégées de ses articles publiés au cours des dernières années.

PetitMonde: le portail de la famille et de l'enfance
www.petitmonde.com

Site rassemblant un vaste choix de documentation, de ressources et de renseignements pour les parents d'enfants de 0 à 7 ans.

Soins de nos enfants
Société canadienne de pédiatrie
www.soinsdenosenfants.cps.ca

Site très élaboré contenant de l'information pour les parents sur la santé des enfants et des jeunes enfants, préparée par des pédiatres canadiens.

Web-Crèche
https://melbourne.magic.fr/web-creche/home.asp

Site reliant toutes les structures d'accueil de la petite enfance en France. On y trouve l'annuaire Web-Crèche de la Petite Enfance.

Livres pour les parents

Crèches, nounous et cie: mode de garde, mode d'emploi
WAGNER, Anne et Jacqueline TARKIEL. Paris: Albin Michel, 2003. 168 p. (Questions de parents)

Et si on jouait? Le jeu chez l'enfant de la naissance à six ans
FERLAND, Francine. Montréal: Éditions de l'Hôpital Sainte-Justine, 2002. 184 p. (Collection de l'Hôpital Sainte-Justine pour les parents)

Favoriser l'estime de soi des 0-6 ans
LAPORTE, Danielle. Montréal: Éditions de l'Hôpital Sainte-Justine, 2002. 104 p. (Collection de l'Hôpital Sainte-Justine pour les parents)

Jouer avec votre tout-petit
MASI, Wendy S. Saint-Constant (Québec): Broquet, 2002. 192 p. (Gymboree - Jeux et Musique)

**Les grands besoins des tout-petits : vivre en harmonie
avec les enfants de 0 à 6 ans.**
DUCLOS, Germain, Danielle LAPORTE et Jacques ROSS. Saint-Lambert
(Québec) : Héritage, 1994. 262 p.

**Le nouveau Guide Info-Parents :
livres, organismes d'aide, sites Internet**
GAGNON, Michèle, Louise JOLIN et Louis-Luc LECOMPTE. Montréal : Éditions de l'Hôpital Sainte-Justine, 2003. 462 p. (Collection de l'Hôpital
Sainte-Justine pour les parents)

Petit tracas et gros soucis de 1 à 7 ans : quoi dire, quoi faire
BRUNET, Christine et Anne-Cécile SARFATI. Paris : Albin Michel, 2002.
391 p. (Questions de parents)

Voyage dans les centres de la petite enfance
DANIEL, Diane. Montréal : Éditions de l'Homme, 2003. 212 p. (Parents
aujourd'hui)

Livres pour les enfants

À ce soir   **2 ans +**
ASHBÉ, Jeanne. Paris : L'École des Loisirs,
1995. 25 p. (Pastel)

À la garderie   **2 ans +**
CLÉMENT, Claire. Montréal : L'Harmattan,
2002. 16 p. (Léo et Popi)

Caillou : la garderie   **2 ans +**
L'HEUREUX, Christine. Montréal : Chouette,
2000. 24 p. (Rose des vents)

J'ai oublié de te dire je t'aime   **2 ans +**
MOSS, Miriam. Paris : Père Castor Flammarion,
2003. 25 p.

Une journée à la crèche   **2 ans +**
FRONSACQ, Anne. Paris : Père Castor Flammarion,
2000. 12 p. (Ma vie en images)

L'allaitement maternel

*Comité pour la promotion
de l'allaitement maternel de l'Hôpital Sainte-Justine*

Le lait maternel est le meilleur aliment pour le bébé. Tous les conseils pratiques pour faire de l'allaitement une expérience réussie !
ISBN 2-922770-57-5   2002/104 p.

Apprivoiser l'hyperactivité et le déficit de l'attention

Colette Sauvé

Une gamme de moyens d'action dynamiques pour aider l'enfant hyperactif à s'épanouir dans sa famille et à l'école.
ISBN 2-921858-86-X   2000/96 p.

Au-delà de la déficience physique ou intellectuelle
Un enfant à découvrir

Francine Ferland

Comment ne pas laisser la déficience prendre toute la place dans la vie familiale ? Comment favoriser le développement de cet enfant et découvrir le plaisir avec lui ?
ISBN 2-922770-09-5   2001/232 p.

Au fil des jours... après l'accouchement

L'équipe de périnatalité de l'Hôpital Sainte-Justine

Un guide précieux pour répondre aux questions pratiques de la nouvelle accouchée et de sa famille durant les premiers mois suivant l'arrivée de bébé.
ISBN 2-922770-18-4   2001/96 p.

Au retour de l'école...
La place des parents dans l'apprentissage scolaire

Marie-Claude Béliveau

Une panoplie de moyens pour aider l'enfant à développer des stratégies d'apprentissage efficaces et à entretenir sa motivation.
ISBN 2-921858-94-0   2000/176 p.

Comprendre et guider le jeune enfant
À la maison, à la garderie
Sylvie Bourcier

Des chroniques pleines de sensibilité sur les hauts et les bas des premiers pas du petit vers le monde extérieur.

ISBN 2-922770-85-0   2004/168 p.

De la tétée à la cuillère
Bien nourrir mon enfant de 0 à 1 an
Linda Benabdesselam et coll.

Tous les grands principes qui doivent guider l'alimentation du bébé, présentés par une équipe de diététistes expérimentées.

ISBN 2-922770-86-9   2004/168 p.

Le diabète chez l'enfant et l'adolescent
Louis Geoffroy, Monique Gonthier et les autres membres de l'équipe de la Clinique du diabète de l'Hôpital Sainte-Justine

Un ouvrage qui fait la somme des connaissances sur le diabète de type 1, autant du point de vue du traitement médical que du point de vue psychosocial.

ISBN 2-922770-47-8   2003/368 p.

Drogues et adolescence
Réponses aux questions des parents
Étienne Gaudet

Sous forme de questions-réponses, connaître les différentes drogues et les indices de consommation, et avoir des pistes pour intervenir.

ISBN 2-922770-45-1   2002/128 p.

En forme après bébé
Exercices et conseils
Chantale Dumoulin

Des exercices et des conseils judicieux pour aider la nouvelle maman à renforcer ses muscles et à retrouver une bonne posture.

ISBN 2-921858-79-7   2000/128 p.

En forme en attendant bébé
Exercices et conseils
Chantale Dumoulin

Des exercices et des conseils pratiques pour garder votre forme pendant la grossesse et pour vous préparer à la période postnatale.

ISBN 2-921858-97-5   2001/112 p.

L'enfant adopté dans le monde
(en quinze chapitres et demi)
Jean-François Chicoine, Patricia Germain et Johanne Lemieux

Un ouvrage complet traitant des multiples aspects de ce vaste sujet : l'abandon, le processus d'adoption, les particularités ethniques, le bilan de santé, les troubles de développement, l'adaptation, l'identité...

ISBN 2-922770-56-7   2003/480 p.

L'enfant malade
Répercussions et espoirs
Johanne Boivin, Sylvain Palardy et Geneviève Tellier

Des témoignages et des pistes de réflexion pour mettre du baume sur cette cicatrice intérieure laissée en nous par la maladie de l'enfant.

ISBN 2-921858-96-7   2000/96 p.

L'estime de soi des adolescents
Germain Duclos, Danielle Laporte et Jacques Ross

Comment faire vivre un sentiment de confiance à son adolescent ? Comment l'aider à se connaître ? Comment le guider dans la découverte de stratégies menant au succès ?

ISBN 2-922770-42-7   2002/96 p.

L'estime de soi des 6 - 12 ans
Danielle Laporte et Lise Sévigny

Une démarche simple pour apprendre à connaître son enfant et reconnaître ses forces et ses qualités, l'aider à s'intégrer et lui faire vivre des succès.

ISBN 2-922770-44-3   2002/112 p.

La famille recomposée
Une famille composée sur un air différent
Marie-Christine Saint-Jacques et Claudine Parent

Comment vivre ce grand défi ? Le point de vue des adultes (parents, beaux-parents, conjoints) et des enfants impliqués dans cette nouvelle union.

ISBN 2-922770-33-8   2002 / 144 p.

Favoriser l'estime de soi des 0 - 6 ans
Danielle Laporte

Comment amener le tout-petit à se sentir en sécurité ? Comment l'aider à développer son identité ? Comment le guider pour qu'il connaisse des réussites ?

ISBN 2-922770-43-5   2002 / 112 p.

Grands-parents aujourd'hui
Plaisirs et pièges
Francine Ferland

Les caractéristiques des grands-parents du 21e siècle, leur influence, les pièges qui les guettent, les moyens de les éviter, mais surtout les occasions de plaisirs qu'ils peuvent multiplier avec leurs petits-enfants.

ISBN 2-922770-60-5   2003 / 152 p.

Guider mon enfant dans sa vie scolaire
Germain Duclos

Des réponses aux questions les plus importantes et les plus fréquentes que les parents posent à propos de la vie scolaire de leur enfant.

ISBN 2-922770-21-4   2001 / 248 p.

J'ai mal à l'école
Troubles affectifs et difficultés scolaires
Marie-Claude Béliveau

Cet ouvrage illustre des problématiques scolaires liées à l'affectivité de l'enfant. Il propose aux parents des pistes pour aider leur enfant à mieux vivre l'école.

ISBN 2-922770-46-X   2002 / 168 p.

Le nouveau Guide Info-Parents

Michèle Gagnon, Louise Jolin et Louis-Luc Lecompte

Voici, en un seul volume, une nouvelle édition revue et augmentée des trois Guides Info-Parents : 200 sujets annotés.

ISBN 2-922770-70-2   2003/464 p.

Parents d'ados
De la tolérance nécessaire à la nécessité d'intervenir

Céline Boisvert

Pour aider les parents à départager le comportement normal du pathologique et les orienter vers les meilleures stratégies.

ISBN 2-922770-69-9   2003/216 p.

Les parents se séparent...
Pour mieux vivre la crise et aider son enfant

Richard Cloutier, Lorraine Filion et Harry Timmermans

Pour aider les parents en voie de rupture ou déjà séparés à garder espoir et mettre le cap sur la recherche de solutions.

ISBN 2-922770-12-5   2001/164 p.

La scoliose
Se préparer à la chirurgie

Julie Joncas et collaborateurs

Dans un style simple et clair, voici réunis tous les renseignements utiles sur la scoliose et les différentes étapes de la chirurgie correctrice.

ISBN 2-921858-85-1   2000/96 p.

Le séjour de mon enfant à l'hôpital

Isabelle Amyot, Anne-Claude Bernard-Bonnin, Isabelle papineau

Comment faire de l'hospitalisation de l'enfant une expérience positive et familiariser les parents avec les différences facettes que comporte cette expérience.

ISBN 2-922770-84-2   2004/120 p.

Les troubles anxieux expliqués aux parents
Chantal Baron

Quelles sont les causes de ces maladies et que faire pour aider ceux qui en souffrent? Comment les déceler et réagir le plus tôt possible?
ISBN 2-922770-25-7   2001/88 p.

Les troubles d'apprentissage: comprendre et intervenir
Denise Destrempes-Marquez et Louise Lafleur

Un guide qui fournira aux parents des moyens concrets et réalistes pour mieux jouer leur rôle auprès de l'enfant ayant des difficultés d'apprentissage.
ISBN 2-921858-66-5   1999/128 p.

D0061909

MARBLES |||||||||||||||||||

MARBLES JAMES GUIDA

TURTLE POINT PRESS : NEW YORK

Grateful acknowledgments to
the editors of *Agni* and *Raritan*,
in whose pages some of these
writings originally appeared.

To my family, and also the St. Johns

MARBLES ||||||||||||||||||

I wake, rub my eyes, get out of bed and head for the shower. Then the struggle with matter.

■

Every day he renewed the belief that people understood his full nature from the sight of his face alone.

■

Excess of reason: sobriety, or drunkenness *through* reason?

Not to count chickens before they're hatched, eggs before they're laid, chickens who might possibly lay eggs, birds who from afar might be confused with chickens. Not to count or think of chickens.

■

Generally your recent past is discernible on you, in the way that, after hours in a pub, cigarette smoke used to live on for a while in your hair.

■

Many quite normal-looking steps precede and form part of the greatest slips.

Comedy is often accused of superiority, but much that is comic doesn't occur at anyone's expense. Rather, it occurs at the expense of reason, or of the conventions we have trained or evolved ourselves to see as reasonable.

■

The Devil has a hand in most things. So long as it's only a hand.

■

I don't want to romanticize melancholy either . . . Still, how princely is the white lobster at the New England Aquarium!

When the news came—that, from the Sublime, Ridiculousness might be reached by a single step— an assembly was called, and it soon reached a decision. A great wall was to be built in front of the Sublime. Ahead of the wall, in turn, would be a sharp ditch. A flag would mark the boundary.

■

Why praise optimism universally? It's hope that propels the scoundrel too. "His love of life is wonderful," Jekyll says of Hyde.

Why is an erotic or love-suffused dream so mesmerizing? There are erotic dreams that are not the least bit original, and yet stay in the mind longer than others that are really thought provoking. Could it be that in this, dreams are like conversation: nothing being of less general interest, and at once so preponderant in conversation, so irresistible to the speaker, than the topic of one's love life. I have in mind those talks—I believe they occur among people of all ages—where one person sits pleasantly bored, knowing his or her friend is enchanted by mere reference to a desired third, knowing also that few can avoid doing this themselves at some time or another.

Really being able to follow your whims is a talent requiring a long and secret gestation.

■

To have no memory isn't solely to enjoy the pleasure of ever-renewing discoveries . . . You can forget what nourishes, and also how much you can take.

■

The thought was so acute, so distracting, he didn't even notice, while putting on his hat, how it pierced the crown.

"Cunning, an attribute of intelligence, is very often used to compensate for a lack of real intelligence and to defeat the greater intellectual powers of others." This extraordinary observation of Leopardi's might be complemented by noting that enthusiasm, while not an attribute of intelligence itself, often becomes a catalyst for it, through sheer persistence and the lessons of self-awareness.

∎

How permeable we are to thoughts of the future! Our bodies give no defense, we may as well be sponges.

All around could be seen that special unnatural orderliness, born of the potential for extreme disorder.

■

There are sentences so triumphant we imagine we can make out the author in them, waving to us delightedly from a float within the paragraph.

■

She neither likes nor dislikes literature. She humors it.

The most intense dreams seem to occur when you're overheated. I wonder if anyone has ever looked into whether the prophets had a taste for sleeping with too many blankets.

■

Eccentrics who don't suffer the commonsensical gladly, and vice versa.

■

Awkwardness is collaborative.

To be at once beautiful and serene and highly capable; to travel far on excursions and commit the most difficult and surprising acts, just to do them and see if they can be done; to not be troubled that others think either the best or worst of you; to constantly exercise the arts of eating and sleeping and flirtation; in any place, to find a perfect, totally unforeseen spot and appear as if you were implied in its original design; to be at times lighter than a bird, quieter than a fish, more anarchic than a loose dog, and to chase all of these things; to have a good nose and excellent whiskers; to investigate and taste interesting bugs; to feel that everywhere is a wide, important scene, and yet that you're small, almost nothing in yourself; to do as you please. To be a cat.

A study reports that flirting may make certain anti- or asocial men appear more sociable than they actually are and, consequently, according to the study, more attractive to women. Some men reading that must have thought, "I flirt a lot and, yes, I happen to be a total bastard . . . But I'm a *genuinely* social one."

■

What amazes me, and I speak in genuine seriousness, is that people don't throw bottles more often, during all kinds of moods and occasions.

Many acts of kindness are really double in nature, the one part lying in the act itself, and the second in the person's unconcern that others may suspect him of self-interest, of acting for the mere appearance of kindness.

■

I'm convinced that what people call rigor is often an effect of style created by impatience, the hurry of a cerebral person to get the thing down on paper and return to a happier state of sloth. Such a style comes from impatience with oneself, whereas it is frequently accused of showing a disregard for the intelligence of others. And so it does, in a way.

For one person to accept advice from another, I mean to really take it on board, is as special and precise a phenomenon as the pollination of some fickle plant. The weather must be just so. Certain other plants will have an accidental role, and factors as small as insects' feet will come into play. The substance of the advice itself may well be secondary.

■

"Lord!—they're early, and I haven't arranged my guile."

The most rational man is also the one with the most unreason. It's his reason that charges it and makes it stronger.

·

How often we lack the full honesty of our tastes when introducing them to others. A pox on prefacing!

·

What a truly transformative invention Internet dating is! Where else can people read the minds of those they would swoon over in the street, and sometimes be horrified by them, or get smitten at the sight of savvy editing?

My prayers are with the colossal squid, whose ten meters can do nothing to save her from further violations against anonymity, whose deadly swiveling hooks will be utterly powerless in the face of people's plans to make a page for her on MySpace.

■

Countless worries sometimes don't add up to a single vicissitude.

■

Basically, the whole affair threatened to make adults of us all.

A second process of aging now takes place within the span of adulthood. A man of 18 or 21 is encouraged and indulged much like a child; at 25 he hits adolescence, and in the company of 40-year-olds now commits the kind of gaffes he used to make in front of crushes.

■

Art is perceiving a storm from inside a house; enjoying a hot shower at the same time is parody.

■

All the man's writing may well have amounted to no more than the crafting and maintenance of a single full stop.

The objections so frequently raised against the use of "we" could easily be applied to "you" or "the reader" as well. Since "one," too, is thought pompous nowadays, there's nowhere for a writer to turn. I can imagine someone saying: "How presumptuous of this author—addressing *me*! He doesn't know who I am. What's more, what proof does he have that I'm even paying attention? The book just happens to be in my hands, and if I did read it at all, three-quarters of the time I was thinking of something else!"

This biographer is like a baboon trawling through the hippo's substantial waste, picking out semi-digested seeds and insects of no small nutritious value.

■

The man has the arrogance of thirty vain men. He lifts people out of the world, he jams them into non-being.

■

She has that wonderful exasperation, impervious to any fact or argument, that comes purely from a love of being exasperated.

He's at once a slug and the salt that will set himself writhing.

■

Often the book I like turns out to be a jack-in-the-box, the head being a strange self-portrait of the author.

■

Forgive me, it was the turn of phrase that made me do it.

You couldn't exactly call him a man of principle. He always had sufficient energy to evaluate an issue on its own particular criteria.

■

How peculiar it is trying to get a look out of the plane window when you're seated in the aisle. Tens of thousands of feet aboveground, I find that consciousness of the people seated next to you intrudes: you're trying to avoid the impression you're bizarrely staring at them.

■

Daily prayer to self: "Prove you're not, at bottom, driftwood."

Were I actually able to sing or play an instrument, chances are I would die of pleasure. It's hard enough being a fan of soul music, and always wanting to break out into dance.

■

Wisdom often trails after the people who most long to shake it off, those unable to stand, among other things, its unseemly fidelity.

■

The essential talent lies in cultivating quiet and space in the midst of commotion, a portable idleness that can add to activity by enhancing its latent comedy, fatalism, and unreality.

No matter how experienced a person may be, no matter how many long years have been humbly or proudly accrued, it is still rare to be exempt from the special helplessness sitting alone in a café effects, and which is made endurable only by some empty diversion: a newspaper one doesn't otherwise read, a flyer one wouldn't normally bother to decipher, become essential articles. The pen-tricks performed in youth to ward off the boredom of the classroom regain their magical appeal.

Calvino was at once too wise and too good a writer to have been an aphorist.

■

This critic seems to read only when a lighter is handy.

■

Quotation marks are the little wings of memorable words. It's people they carry away.

In the park, eyes are following leads. For the women, a path of descent, downward to the dog; for the men, generally, upward to the woman.

■

This man is built up of points scored off others. So is his friend here, but with this difference: the first aims for domination, while the second would be content with mere plausibility.

■

There is after all a criminal aspect to Solitude. It too would like to snuff out the witnesses.

Not answering, answering more slowly, answering with less. Today half the art of correspondence is in that.

■

The errand we have thought of constantly for days, and nonetheless failed to carry out. As in amusement parks, there's a mechanical claw in the mind, diabolically hard to control, angling for mundane prizes.

A tells me about himself only when speaking about B and C.

■

A person secretly yields to the temptation of reading a friend's diary. First he's relieved—nothing bad about him in here. In fact, his name is nowhere to be found. Looking further, he starts to become incensed: "There are no rude portraits of anyone!"

■

Querultude: the pessimist's stock wisdom, his platitude. No less abundant than the other kind, more contagious.

"Meet me halfway," the older friend said to the younger, "I'll take you a little more seriously than if we were the same age, and you take me a little less."

.

The truth is, appearances lead me to suspect that appearances with you would be misleading.

.

Common Sense likes to accost a frank intelligence and claim it as its own.

Forget words, she puts whole paragraphs and pages into your mouth.

■

Mine is the sort of character that, if I find five dollars on the street, feels duty-bound to blow fifty.

■

Music might be seen as man-made weather.

He doesn't claim to be an artist: he says he merely jots down those things won from the struggle between his reason and his nervous system.

■

Criticism has a way of disparaging work by suggesting potentially legitimizing but alas missed transferrals between genres. That novel could have been an interesting memoir; that short story, a tolerable essay; that essay, a string of aphorisms. And that aphorism? An open-mouthed stare out the window?

■

Still, it's possible for even street cleaners and chimney sweeps in the city of literature to enjoy a rich life and lack for nothing.

"I bet I came across as incredibly ____ to them last night."

"No, no, not at all."

In fact, he did. If someone would tell him, just once, he'd most likely stop doing it.

∎

"I'm afraid he's preoccupied at the moment."

"With what?"

"With his preoccupations, of course. There's nothing more anyone knows about it."

"Why are you so happy?"

"I never, ever have to go back to school."

"Come on, it's got to be more than that—that grin is idiotic."

"I'm not who I was at university."

■

The magpie with no eggs to protect swoops most viciously of all.

Occasionally I get caught up in some complicated mood, and suddenly discover a simple factor behind it, or a way that its spell can be undone. A light is off when it should be on; a breeze is hitting me from that window; I have forgotten about the existence of music; I am in when I should be out; my feet are not moving.

■

Pen, over here: free the balloon of the mind, that snoozes and sags in its shed, into the kingdom of air.

There are small, fairly impersonal tendencies and anecdotes in a life that seem to me to reflect as much about the person's nature, or at least to outline what is singular in it, as a much lengthier account of facts might achieve. In any event, it is interesting to try to pinpoint such things, whether with regard to oneself or to others. For my part, a list would have to include grief at dropping a blue bird's egg as a child; the times I pulled off something impressive purely by accident; when, walking down a street in France, I was pursued by a frightening-looking man who all the while stayed ahead of me; and the fact that now and then I have *good* hangovers.

Above all, she enjoyed satirists. Slightly bad natures, she said, in the service of the good.

■

This novelist would have us believe he is mounting a bold campaign against the pretension and aridity he thinks intrinsic to an artistic life, but he is only launching peas, and these at himself.

■

Certain male authors like to disparage the whole male sex in their books, thus winning the hearts of . . . other morose men.

"Mercilessly clear-sighted." The sheer existence of this phrase. If we credit it with more than an oxy-moronic value, what implications are we to draw from it? I can immediately think of four or five, and these are enough to stop me looking further!

■

What if there exists a quota on our gossip, set by month or hour or minute, according to our nature?

■

He kept saying "I apologize," by which he meant, "I'm doing my best to disappear." And it was true, half of him had already vanished.

I think certain philosophical works should be wrapped in black plastic and kept behind the counter, where only readers of a certain age or those who yield to cravings can request them. Cioran's books, for instance. It's time we credit the polishing of coffin screws as belonging to the first rank of intellectual pornography.

■

Danger of trying to look like you don't care too much: that you succeed, and no longer care at all.

■

"So what are you trying to prove by all this—that you don't need to prove yourself?"

Speculation on style: great lucidity conceals an acute experience or sense of loss. So-and-so had to be hollowed out before she could think that clearly.

■

There are no edges or grooves on the man's face, nothing at all on which to hook a gaze.

■

With the loved one there is no such thing as delay, and all other delays are suddenly revealed to be just "delays."

The man's best ideas occur in conversation, in which he is like a crow: I mean the kind who flies above a road and drops a particularly hard nut onto it, where, if still unbroken, a passing car can finish the job. He's likewise known to crack the casing of a rare idea on the road of discussion, and sometimes relies on an oblivious four-wheel-drive to release it of its fruit.

■

Of course Dr. Johnson dismissed *Gulliver's Travels*. What's a Houyhnhnm supposed to think?

Too many novels boil down to either tourism or real estate.

∎

It's the gift of a certain kind of person to detect tactlessness in anything.

∎

The question to put to hip-hop's wholesale detractors is less would you or could you write it, than could you *say* it, and could you say it the way he said it?

What was so maddening about the culture wars wasn't the content of any particular idea, it was the intensely captious spirit they bred in certain students, who found themselves completely paralyzed for a while by self-consciousness, before any real idea or receptivity of their own could blossom. There were teachers who took their students' potholes and used them as trenches.

■

There is always something slightly comical about extraordinarily good or intelligent writing: your eyes run from sentence to sentence, struggling to believe it all exists.

Conversational errors born of innocent high spirits have a unique way of offending. An inability to make lucid banter and the persistent attempt to do so sooner or later leads one to speak out of turn. Though it may only contain a semblance of sense, a remark sometimes touches upon an issue delicate to another, and then appears all the more impudent for the gaiety with which it was said.

■

Who among us could bear to watch a video of their activity over the course of a week and go on living with themselves in any halfway sane fashion? A healthy God, likewise, would have had to look away.

I believe there are books in which you could pencil the entire margin on every page, writing at the end "flight of fancy," and that they're among the best ones.

■

The consistencies in Gogol's characters, their very substance or lack thereof, seems composed entirely of qualities we like to think of as aberrational in ourselves. A god who modeled his people entirely from clay of folly . . .

■

A moralist could just be someone who's observed himself while making every gaffe imaginable.

In binding and gagging platitudes and pleasantries, people sometimes go so far as to wrench the life out of the actual things connected to them. I sometimes weary of remarking on the weather too, but I wouldn't for a second pretend it's boring in reality.

■

There's a ladder of social esteem which we begin as nonentities, and end by actually winning people's indifference.

■

Drawing the line. You'd hold the door open for the next person too, but they would have to be walking three meters ahead of where they are. "I can only do this so long, otherwise it will begin to look ridiculous!"

How fortunate that women tend to find the peculiarities of men endearing! If men were exactly what they thought they are, or all that they tried to be, no woman in her right mind would want them.

∎

"Everyone is deserving of attack, I grant you that, but you must set your home in order first of all." And with that, our thinker began drafting a plan to take his left big toe out of commission.

∎

For certain people, praise from the wrong quarter stings like slander.

Those people could plan less. They can't launch even their first idea for being entangled in its safety nets.

■

We don't really leave each other. A cast of characters has exits, not erasures.

■

"I'm about to have a few drinks, young man, I think I should let you know at the outset. I'm in the mood to run down everyone tremendously tonight, completely irrespective of fact. Please be so kind as to not remember anything I may say from here on in."

To speak in a hushed tone seems to be such an unusual demand for some people that they can accomplish it only through a great effort, and the outcome is that their exaggerated whispers are more clamorous than if they had spoken at a regular volume.

■

The speaker employed all his brainpower in saying clever things designed to conceal his ignorance. The other waved them away like mosquitoes.

■

Maybe there is a kind of justice for the man—it's normally a man—who always has to have the last word, because in a sense he dies many times over.

The person who exempts himself from action and interaction, not from aversion, but for the sake of pursuing an excessive spiritual appetite. He wants to partake mentally in everything, to be with anyone, to be anyone, and has no time for anyone or thing in particular. Is it wrong to speak of spiritual greed, of imaginative gluttony?

■

Cultivate harmless superstitions: each one ushers into the world new drama, and provides its own pleasant kind of purification.

Finally an investigation is launched into who had been making such a mess of the town's rest rooms: leaving newspapers in the bowl, unfurling toilet paper everywhere, fouling every surface. It turns out to be the work of one sane man — "It is I!" They vote to hang.

■

He never took it personally, and generally preferred not to argue, if someone fed him a line. He wanted to see where it would go, and, as with everything else, he could use it in his drawing.

In judging the news, some of us feel too much that we're amateurs, amateurs working with defective equipment.

■

Society has a taste for rounded moral sayings that sound subversive and at once encourage a vague, easily adaptable idea of the average person's righteousness. The best-sellers of opinion . . .

■

A at work on a novel now. The aim of all his writing is the same, simply to irritate B out of his senses.

It's a staple of skateboard videos to include a segment devoted wholly to the blunders and accidents of the riders. A strange combination of the comical and the devastating, a "slam section" records the falls and terrible persistence that preceded the flawless execution of tricks in the rest of the video, the separate feats which, accomplished, compiled, and edited, finally helped to create the illusion of continual mastery in each rider. Imagine an analogous procedure with regard to books — not an early draft, but a compact anthology of the author's most spectacular and entertaining lapses, all the worst intellectual cuts, scrapes, and bruises.

A brilliant joke forgoes its shine if it occurs with a halt or a mistake or a mumble in it, even if it comes out correctly at last. With wit you have one shot only, and frequently it's a listener with a clearer voice who pulls it off two seconds later.

■

"Our interest in celebrity is the packaged-food version of curiosity. Fair enough, but our friend here goes so far as to chew on the wrapper."

As impressive as the gulf between our best and worst feats of conversation — the space separating sweet facility from utter confusion — is the diversity of errors and innovations a single individual can exhibit from day to day, or within a day, the countless ways of getting it different. In a sense, language is born anew each morning.

■

A real surprise can't be held in the mind all at once, it's something that causes rambunctious behavior in the synapses, a fresh, irresistible pleasure. This is why it is also so easily forgotten, slips in and out of one's head without ever being properly absorbed. I'm tempted to think the best humorists are underrated and forgotten on account of this very process.

Severity implies prior failures, lack of flexibility and imagination. This seems to be the rule everywhere but in art.

■

When is it pride, and when is it self-respect? I've never been able to figure that out.

■

The soft-spoken of all nations should be granted passports that let them live wherever they want.

The notion of "sex objects"—where has it gone?
We're all sex or lust objects now, willingly, happily. Anything to distract from our status as work
objects, I suppose.

■

At last his writer's block melted: now there was only
to drown in it.

■

"I don't tell anyone a thing, and I'll never forgive
them for it!"

Temple Grandin tells us that animals can have powerful fears and stubborn aversions based on the most immaterial things: a shadow, the memory of a given hat, the sound of a rattling chain. Even leaving aside the obsessive-compulsive, have people completely shaken off this tendency? Is it so very different from the seat on the train person after person will avoid merely because a sheet of newspaper happens to be lying on it? A woman comes on and instantly brushes it aside, and everyone else standing by wonders why they didn't do the same. It could be the shadow of a stain one could verify in a second.

"So you still haven't forgiven me my past follies? Well, it's your loss—you wouldn't believe the new ones I've been cooking up."

■

Many blunders we take seriously only because of vanity. Indeed, there are times we could benefit from being *more* vain. This must be what Russians mean by hitting a bullet with a bullet.

■

O psychologists, does it still count as knowledge of human nature, if it lacks a sense of human trajectories? Shrinks, too, should all have to read tons of history and novels.

How incredibly little a person has to know in order to live, and how incredibly much he has to know without knowing it.

■

There is a quiet willfulness some gentle people have, a kind of graceful readiness. Their energy passes out of them like tissues from a box, each act drawing a successor, giving them an impression of serene limitlessness.

■

Did the previous day deliver the morning, or was it the night? Or a day or night from years ago?

How someone behaves with people whose faces he doesn't immediately take to — a good moral system might begin there.

■

In these argumentative writings one encounters a smugness that's seemingly come about solely because the author has placed himself in the attitude of argument. He needs to feel against something, so he will invent it if need be, or else be against himself. His objections are like those of a man on a ladder hurrying the man moving up two rungs below, or the same man playing both roles, running up and down the ladder shouting, a sort of Basil Fawlty of letters.

My experience is that the individual who prides himself on not being falsely modest is often, in addition, not modest in any sense of the word.

■

The pastor concluded thus: "And finally, let us pray also for those straining under the load of private burdens, at least let their miseries be safe from careless comment."

■

We shouldn't be surprised if we discover that a person scorned as a smart aleck in one circle shines in another. A smart aleck usually has wit, after all, it's just primarily bent on winning himself over.

To be lost in a Venn diagram, forever trying to find the camp where will coincides with resignation.

■

I've known people who keep everyone speculating about their nature, but whose troubles could basically be explained by this predicament: epicurean by nature, stoical from circumstance.

■

B is always saying things that others think and are afraid to say, yet it's all the ones they're right to censor.

Traveling abroad often leads you to dismiss the possibility of everyday dangers you would have taken into consideration at home. After crossing the water, surviving a flight, the chance of disaster becomes unreal: we have crossed the water!

■

"Ah, a young man. So his best days have no consequence for the days that follow them."

■

Cultural theorists ultimately outdid the projectors of Laputa, some even managing to erect entire cities on a tangent.

"Stop thinking about it." Okay, I'll pass that message on to the thoughts, but what they do about it is another matter entirely.

■

Macho bars:

"Are you trying to be funny, mate?"

"I'm sorry, I had no idea you were so humorless."

"That's okay, I don't even know what it is myself sometimes. I sense irony in the air and I just feel this urge to knock the absolute crap out of somebody."

If talent with language provides a sort of power that may help raise a person's social standing irrespective of their background, education, and other people's prejudices, not to abuse it would be a crime.

■

I imagine that anyone who is unusually knowledgeable or sympathetic will have occasions in life to say, along with the very attractive, and with as much or as little right, "I feel so *used*."

■

We brushed away the tendrils, and the stone told of the cause: "Died of remorse for foolish and intemperate speech."

Funny how everything can be overturned in the end, even the smallest iron habits.

■

Is it that we just want desires themselves, more than to have them gratified? I believe we do want satisfaction, plus renewal of desire, plus myriad unexpected good tidings.

■

There's a good-natured kind of scorn. At least, I hope there is. I'm banking everything on there being one.

In our impatience, we read everything whatsoever into the silence of the person we're dependent on. When they finally have a moment to consider the matter, they can't make heads or tails of our loopiness, and wonder where it came from.

■

Answering ungraciousness is ungraciousness itself, but a tempting sport all the same.

■

A vivid sense of one's ignorance often looks like intelligence. Sometimes it is. Sometimes who knows what it is.

Neurosis occurs as a second nature; humor's the re-solving third.

■

Exceptional talent is like the good looks of the mind, seemingly saying everything to everyone.

■

Perfectly good fruit, simply in being bumped about by chance, indifferently sniffed at, idly handled and overlooked, is sometimes gradually made unfit for those who would otherwise choose it. So it is with lovers.

Critics of text-messaging are wrong to think it's a regressive form of communication. It demands so much concision, subtlety, psychological art— in fact, it's more like pulling puppet strings than writing.

■

Clearly the whole stock of some people's imagination lies in their spleen, just as others might have their keenest intelligence in the eyes, moral sense in the stomach, or subtlety in the feet. As we like to say elsewhere, you get what you're given.

When someone takes on the views of a genius, on the grounds that so-and-so was a genius, it reminds me of those pedestrians who don't look at the traffic themselves, believing it's alright to cross because a fleet-footed individual ahead has seen that he himself can scrape through perfectly.

■

Few characters are so misunderstood as preoccupied or convoluted ones. We're often blind to the possibility of this trait altogether, and instead insist on lies, hypocrisy, stupidity, and so on.

■

If everyone bloomed recurrently, like trees!

Construction, destruction—how hard they can be to separate. The scenes often look and sound much the same, and who has ever been able to tell what would become of someone by meeting them as a teenager?

■

To understand the sexes, get to know what they say they want, and then what they *really* want. If and when you believe in the sexes, I mean.

■

"A reviewer? Well, if you like . . . I see myself more as a herder of quotation."

So many intelligent people are this minute anxiously scratching themselves for marks of sentimentality—"It's sentiment, get it off me!" But they're sometimes so wary that they lose sight of their emotions entirely, judging any specific friendly or rapturous feeling to be sentimental, and break the bond connecting feeling and intellect. Having said all this, I still approve of verbal quarantines for authors, and would hereby like to nominate the word "heartbreaking" for an indefinite stay.

■

The man was susceptible to the ready pathos of imagined romances, seeing them as snow-globe affairs with which he could shake up his life at will.

There's more than enough self-awareness in the world to go around; it's the distribution that's criminal.

■

Regarding people who turn around to see an attractive stranger passing by, we should acknowledge the lesser-known types who turn not so much to see a rear end as to confirm that the wonderful stranger still exists, and also, perhaps as illogically, from the hope that by doing so they might see the face again.

The demands of neediness are the least heeded. Under its spell we lack affective capital and are forced to live beyond our means, on self-esteem borrowed from circumstance. The proud front shown today will be up for sale again tomorrow.

■

A cloud of qualification frequently hovers over categorical assertions:

"At least, this is how *I've* always felt it to be" or "You know what I mean!"

Is it really so terrible to quote ourselves? Everything we say is a quote, or, sometimes, just a muddled paraphrase, of our thoughts.

■

Beauty scatters mind to the wind, which is just one more thing to be said in its favor.

■

A person who doesn't want to be reminded of his addictions should try to indulge all the appetites, thus obscuring individual ills.

We sometimes can't understand it, or don't fully believe it, when our good friends are struggling. How is it possible someone could not like them? Why do they need to be more than they already are? We're like proud parents considering their children.

■

People who claim to see, and of whom the only certainty is that they've been bitten.

■

Irreverence alone isn't enough, or else the word's rhetorical. The best humor reveres joy.

"There are far worse than me. I throw all my lovers back into the sea—after tagging them, of course."

■

Then the stewardess, adopting a somewhat poetic air, made an announcement. "We will now be turning off the lights"—here she paused as if withholding some extremely appetizing news from us —"standard practice while flying through the hours of darkness."

■

Whoever says "merely a dream" can't have had very strong ones. Dreams compete with the best and worst experiences I've had.

When political acumen, like everything else, develops at the expense of other qualities. I can think of writers who are so politically fine-tuned that they can present you with a more detailed image of a literary book's politics than the best, more-literary close readers ever could. Weirdly, though, I've noticed that these same writers can be fooled by artistic composition. In this they are like dolphins, who are able to send out a sonic bubble that returns to them with precise sounds from what's happening far off in the distance. It's nothing short of miraculous, but still it sometimes won't occur to them that a person may not be screaming in earnest, only pretending to scream.

The Venus flytrap, famous for the bite of its apex, is said by experts to emit a curious hum. This can last for days on end, and is known as the plant's "purr."

.

"Why is she with him?" is said and thought ridiculously more often than "How is it she's with me?" or "I wonder why we're with each other."

.

Disdain eats on the run.

There seems to be no getting to the bottom of indifference, which reveals new forms not only in individuals, with regard to other people and to things, but between people too, and with new experience and stages of life. We would know it all much better and probably benefit from the knowledge, but we are too, well, indifferent.

■

She was mindful of all the respect due her, and ensured that nobody missed a delivery.

■

Sending an email can be like letting go of an animal.

After this long list of criteria, she ended with a single abstraction: "Most importantly though, make sure you are someone *relevant* to me."

■

"Even though I'm speaking vaguely, incoherently, not up to my own level at all, inside I'm feeling extraordinarily arch and this minute am forming all sorts of ideas about you."

"Same with me!"

The strangeness of our impatience with stupidity, or what we liberally call stupidity in others, and which is really everything under the sun. It stops us ever getting accustomed to the world.

■

There is sometimes a lot of stupidity in crime, and sometimes only a hollow, civilized sort of amorality in intelligence.

■

I've noticed that I rarely make the same mistake twice. I make it a little differently each time.

"Wait, what are you doing, that's my theory you're touching. I don't care if you know how to use it. And anyway, I never said it worked all the time — normally I bring it out only on special occasions!"

■

"It's shameless!, he's fifteen years older than her. And her, the little hussy, why can't she go out with someone younger? ... She's doing exactly what I was doing at her age."

■

There it's the culture of men not to register one another on the street. The city's filled with ghosts — precisely, men.

"No thanks"; "Definitely, we've been waiting for this. Let's see what you have!"; "I'm not sure . . . I guess it can't hurt to look"; "I know I shouldn't, but I really, *really* feel like it."

Conclusion: responses to the dessert menu are totally consonant with what goes on in the heads of people on a date who have reached the kissing point.

■

Sometimes it's less a clash of opinions that comes between people than a disagreement on what it's worth having opinions about at all. It seems ludicrous to us that someone has thought about such-and-such enough to have a view on it.

For some reason I think it's good to be angry on behalf of those who have a real right to be bitter and aren't, and happy for those who can't see that they should be happy.

■

The "brutally honest" don't need company like themselves. Especially if they're self-critical, they need more of their own as much as those in a civil war need an attack from other countries. In any case, they usually have the instinct to surround themselves with friends slightly more tactful and tolerant than they are, the gently deceitful, the pointedly silent, etc.

Few things disclose a person's own colors more than their behavior with those they consider a little green.

·

The household had arrived at a state of war: the passive-aggressives were typically well placed; the active-aggressives were surprised; and the don't-give-a-damns, as usual, were out enjoying themselves, nowhere to be seen.

·

Suspicion is a heightened form of inquisitiveness, but one with a drastically narrower scope. How many people waste their sharpness on paranoia!

Nothing less interesting than the conversation meant to be overheard.

■

So some artists just scrub up well. Have your fun with their works and move on.

■

The only thing I'm always right about is when I suspect I'm giving too little, or giving too much.

Perhaps it is a peculiar type of detachment, more than time, that grants us the ability to make light of things. Time would then be useful only insofar as it provided detachment. The most thorough comic natures are so used to isolating the terms of thoughts, words, and events, rearranging them, testing the results for comic merit, rewriting and recombining, that their minds become perversely independent of emotion, and feed on whatever is at hand. In this they behave rather like artists. Even humorists without huge pretensions to art, one feels, are sometimes unwittingly propelled in the direction of art, as their quest for humor becomes evermore precise and deliberate, identical with a science of style. In this light, the Marx Brothers, who tested and obsessively refined their scenarios against people's applause night after night in different towns, would seem to have made a kind of laboratory out of the road.

Nobody need leave their bathroom to taste the "big" truths. To know that all in life must end, consider this disgusting shower curtain; that nature is full of magical renewal, see this tube of toothpaste, which with one more squeeze proves again that its contents are infinite; that social life occasionally means warfare with fast-scurrying villains—I refer you to this cockroach.

■

"You've treated me terribly, but let's be honest, that was your words and actions . . . It wasn't your charming figure, not the hair falling over your neck and shoulders, not the lovely sound of your voice. Certainly your face is not to blame."

We hear so much against abstractions, as if they were all artificial and imaginary. But a diagram or a map is an abstraction, and so too, sometimes, are the common thoughts and actions of people. Every person might be seen as housing a real skeleton and also an abstract one, which defines their philosophy, whether or not or to what degree they're conscious of having one. If you tilt your vision in a certain way, two people talking may sometimes appear like two arabesques, two designs facing each other, trying to comprehend or fit into a common form.

A man sometimes seems annoyed when another man sits down beside him on the train. The thought seems to be "I was saving that for an unknown beautiful woman!"

■

"Move on" is my new motto. Better not to be waylaid by those corrections that only revive the error. "Man, you're making a hash of this"— "I'm moving on!"

■

Style, or the monkey himself.

I think I can identify roughly when others started crossing the Rubicon out of childhood. It was when friends would visit one another's houses for the first time and were suddenly no longer fascinated to discover a new bedroom. Before that it held all the excitement of a new country.

■

Some people are distinguished by the fact that, meeting them alone, it's impossible to imagine what their spouses look like.

Sometimes it seems wiser to plead several causes and not go into them, rather than give one that can be debated. Reasons are like Medusa's hair, where you poke down one snake-strand and another instantly rises in its place.

.

I know the consensus is against telling dreams, that they're supposed to be of no interest. Even so, if I was allowed to speak and ruminate on just one, it would be when I presented my passport at customs, the inspector turned to the photo page, and there appeared the portrait of a possum.